paris/est/à/nous/

100 aventures insolites à Paris

SOPHIE LEMP

PARIGRAMME

À celle qui, sans le savoir,
a vécu toutes ces aventures de l'intérieur.

Merci à Sandrine pour son aide précieuse.

Merci à celles et ceux qui m'ont accompagnée
dans mes pérégrinations.

Tous nos efforts pour vous donner la meilleure information
possible n'empêcheront jamais la Terre de tourner et certaines
adresses de changer entre le moment où nous mettons sous
presse et celui où vous tiendrez ce guide entre vos mains.
N'hésitez pas à nous écrire pour nous faire part de vos remarques :
parisestanous@parigramme.fr

Collection dirigée par Sandrine Gulbenkian et Jean-Christophe Napias
© 2010 éditions Parigramme / Compagnie parisienne du livre (Paris)

Sommaire

Introduction 5

1. Le plein d'histoires 7

2. Paris arty 15

3. En coulisses 27

4. Sens dessus dessous 35

5. Découvrir la ville autrement 43

6. Chlorophylle inspirée 53

7. Lieux cultes 63

8. Voyage, voyage… 73

9. Faire des folies de son corps 83

10. Bars et restos pas comme les autres 93

11. Vos nuits sont plus belles que nos jours 101

Index 107

À Paris, une multitude d'aventures extraordinaires s'offre à chacun tous les jours… Ainsi, les amoureux goûteront aux charmes d'une croisière privée sur la Seine, pendant que les amateurs de polars assisteront à un procès au Palais de justice. Les engagés se passionneront pour les débats fiévreux de l'Assemblée nationale, tandis que les voyageurs dans l'âme se ressourceront dans un jardin japonais. Les astronomes en herbe passeront une soirée à observer les étoiles du haut de la Sorbonne, les citadins en manque de chlorophylle, un après-midi à découvrir la faune et la flore parisiennes.

Zen, sensuelles ou intellectuelles, voici une sélection d'aventures toutes plus insolites les unes que les autres. Il ne vous reste qu'à les vivre et à les partager, pour redécouvrir un peu plus chaque jour le plaisir de vivre dans la capitale !

1

Le plein d'histoires

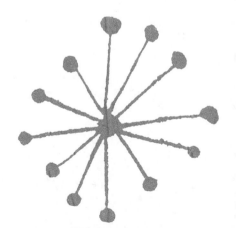

Assistez à un procès

PALAIS DE JUSTICE DE PARIS

10, boulevard du Palais, 1er • M° Cité
Tél. 01 44 32 51 51/52 52 • www.ca-paris.justice.fr
Accueil du lundi au vendredi
Audiences du matin à partir de 9h, l'après-midi à partir de 13h30 • Entrée libre

Pour y pénétrer, il suffit de se présenter devant l'entrée réservée au public et de passer les portiques de sécurité. Ensuite, à nous les 200 000 m² du Palais de justice ! Au début, l'on est un peu impressionné par le ballet des avocats et des magistrats en habit, que l'on croise dans les dédales du Palais, qui compte 24 km de couloirs. Mais, peu à peu, on se fond dans la masse avec l'impression d'être un figurant dans un téléfilm policier ou dans le cultissime documentaire de Raymond Depardon *Délits flagrants*… D'une aile à l'autre, on passe par la cour d'appel, la cour d'assises ou le tribunal de grande instance. Avec un peu d'audace, il est tout à fait possible d'assister à une audience, puisque la plupart d'entre elles sont publiques. S'il s'agit d'un procès largement médiatisé, il se peut même qu'il y ait foule et que l'on doive patienter. Une fois à l'intérieur de la salle, on se laisse porter par les plaidoiries et autres témoignages. Attention, un avocat plaide parfois plusieurs heures durant ! Il est bien sûr plus facile de suivre si l'on connaît les tenants et aboutissants de l'affaire en question, mais, dans tous les cas, observer les acteurs d'un procès est plus que passionnant. Dérisoires, monstrueux ou pathétiques, tous les sentiments humains ont place lors de ces audiences, parfois éprouvantes. À la fin de la journée, on ressent profondément le poids de la justice, la difficulté pour les magistrats de traiter des dossiers complexes, parfois à la chaîne, et le tragique de la situation de certaines victimes, et même de certains coupables. On est passé de l'autre côté du miroir, pour quelques heures.

Touchez pas au grisbi
BANQUE DE FRANCE

39, rue Croix-des-Petits-Champs, 1ᵉʳ • M° Pyramides ou Palais-Royal-Musée-du-Louvre • Tél. 01 44 54 19 30 • www.monuments-nationaux.fr
Les visites-conférences ont lieu généralement le samedi matin
Inscription auprès du Centre des Monuments nationaux
Visite commentée : 9 €

Au sein d'un groupe d'une trentaine de personnes, la visite commence, dans la cour ensoleillée du bâtiment, par un historique du lieu. Nous voici ensuite dans la Grande Galerie, impressionnante de faste et de dorures. Si le parquet craque comme au bon vieux temps, une estrade et des chaises à la ligne moderne, d'un rouge vif, nous rappellent que nous ne sommes pas dans un musée, mais bien dans un lieu vivant. En effet, c'est dans cette galerie qu'ont lieu réunions et colloques de la Banque de France. La conférencière s'attarde longuement sur les tableaux, copies venues remplacer les originaux au XIXᵉ siècle. Parfait si l'on est féru de mythologie, mais si l'on est venu pour en savoir un peu plus sur le fonctionnement de la Banque de France à l'heure actuelle, on risque de rester un peu sur sa faim. Pas de regret cependant : la visite nous aura permis de pénétrer dans un lieu très protégé, et d'en admirer les nombreuses… richesses !

Rencontrez les Sages de la République
SÉNAT

15, rue de Vaugirard, 6ᵉ • M° Odéon ou Mabillon
Tél. 01 42 34 20 01 • www.senat.fr
Débats ouverts au public mardi, mercredi et jeudi
Pas de réservation : consultez l'ordre du jour et vérifiez les horaires par téléphone, puis présentez-vous à l'accueil environ 15 min avant l'heure.
Sur présentation d'une pièce d'identité, on vous remettra un ticket de tribune.

Vous l'avez appris en cours d'histoire-géo ou d'éducation civique, le Sénat détient, conjointement avec l'Assemblée nationale, le pouvoir de discuter et d'adopter les lois, dont l'initiative appartient au Premier ministre (projet de loi), ou aux sénateurs et aux députés (proposition de loi). Comme à l'Assemblée, on est tenu de garder le silence et de ne jamais exprimer d'opinion. L'ambiance est solennelle, le lieu, prestigieux: on est ici dans une magnifique salle du Palais du Luxembourg, construit au XVIIᵉ siècle pour Marie de Médicis. Redessinée en 1836 par Alphonse de Gisors, un élève de Chalgrin, la salle sénatoriale est un splendide hémicycle décoré de statues et de plafonds peints. Les sénateurs, selon leur bord politique, sont assis à la gauche ou à la droite du président. On repère quelques têtes connues, même s'il y a nettement plus de monde dans le public que dans l'hémicycle! Les débats, souvent très pointus, ne sont pas toujours très accessibles, mieux vaut donc s'être quelque peu renseigné au préalable sur le sujet du jour. La séance dure souvent plusieurs heures, mais l'on peut partir quand on le souhaite.

Prenez une leçon de politique
ASSEMBLÉE NATIONALE

33, quai d'Orsay, 7ᵉ • Mᵒ Assemblée-Nationale ou Invalides
Tél. 01 40 63 77 77 • www.assemblee-nationale.fr
Les séances sont publiques. Pour y assister, adressez-vous à votre député, en lui demandant de vous délivrer un billet de séance pour le jour de votre choix. Vous serez sur les bancs dans les quinze jours. Pour les groupes, comptez un délai de trois mois.
Comme au Sénat, c'est ici que se discutent et se votent les lois. Pour visiter l'Assemblée nationale en dehors des Journées européennes du Patrimoine – le lieu est alors généralement bondé –, le mieux est d'opter pour une séance de questions au gouvernement, souvent suivie assidûment par une bonne partie des 577 députés. Lorsque l'on se présente devant l'entrée du public pour retirer son invitation, c'est le début d'une longue série de contrôles de sécurité. Après avoir laissé toutes nos petites affaires au vestiaire – obligatoire –, nous voilà bien installé. Le personnel nous rappelle les règles à observer: rester silencieux, se tenir correctement et n'exprimer aucun signe d'approbation ou de désapprobation. La séance va commencer, le gouvernement a pris place, les députés aussi. Dès la première question, on est étonné par le manque de discipline des députés: ils parlent fort,

commentent, applaudissent, huent… Dur de se concentrer pour écouter la réponse de l'intéressé. Alors, on s'amuse à reconnaître le leader de tel ou tel parti politique, à observer l'un d'entre eux discuter avec son voisin, l'autre sortir allègrement son journal… Sur le fond, il est difficile de rester de marbre face à certains discours, mais c'est le jeu, et mieux vaut s'y plier de bonne grâce. Au bout d'une heure, la séance est levée, et chacun repart vers ses obligations, nous laissant avec la sensation de mieux comprendre la vie politique française… ou pas !

S'extrader en plein Paris
UNESCO

7, place de Fontenoy, 7ᵉ • Mº Ségur ou Cambronne
Tél. 01 45 68 03 59 • www.unesco.org
Visites guidées gratuites (1h environ) sur réservation, du lundi au vendredi
L'Organisation des Nations unies pour l'éducation, la science et la culture n'est ouverte au public que dans le cadre de visites guidées. Pour en bénéficier, il faut parfois attendre plusieurs semaines, voire plusieurs mois. Toutefois, si l'on vient seul, on a parfois la chance de pouvoir se joindre à un groupe déjà constitué.

Après un bref rappel sur l'histoire de cette institution créée le 16 novembre 1945, la visite peut commencer. Nous apprenons tout d'abord que nous nous trouvons sur un territoire international : la police française, par exemple, n'a donc pas le droit d'intervenir au sein de l'institution. Nous découvrons ensuite le Square de la Tolérance, avec son olivier, symbole d'un espoir de paix au Proche-Orient. Le Jardin japonais, cadeau du pays du Soleil levant, est lui aussi assez remarquable, mélangeant les éléments traditionnels, comme la forme du bassin, à des matériaux modernes, comme l'asphalte. Toutes les pierres et les plantes viennent du Japon. On aimerait pouvoir s'y reposer un moment, mais, visite guidée oblige, il faut déjà repartir… On passe alors par l'espace de méditation, conçu pour tous, de toutes confessions. Après une escale par la grande salle de conférences, impressionnante, on termine par un très beau point de vue sur la tour Eiffel. Au bout d'une heure, on a fait le tour de l'Unesco, découvrant que ses bâtiments, qui peuvent sembler ingrats vus de l'extérieur, regorgent de richesses, puisqu'aux jardins s'ajoutent les œuvres d'artistes prestigieux: on a pu admirer une peinture de Picasso sur quarante panneaux de bois, un mobile de Calder ou encore un tableau de Miró. Il ne faut jamais se fier aux apparences!

Des trains miniatures plus vrais que nature

ASSOCIATION FRANÇAISE
DES AMIS DES CHEMINS DE FER (AFAC)

Gare de l'Est, 10ᵉ (porte vitrée face à la voie 4) • Mᵒ Gare-de-l'Est
Tél. 01 40 38 20 92 • www.afac.asso.fr
Le samedi de 15h à 17h environ (appeler avant toute visite)
Entrée libre

Tous les samedis, les passionnés de cette association dont le siège est situé dans le dédale de la gare de l'Est viennent faire tourner leurs modèles favoris en miniature sur un réseau complet de voies ferrées. Deux salles présentent des maquettes d'échelles différentes, le tout dans un décor au réalisme minutieux: une montagne et son tunnel, un village et ses commerces, une gare de voyageurs, un entrepôt de fret... Chacun des réseaux présentés ici est électrifié et des feux de signalisation arrêtent régulièrement les trains, comme dans la vraie vie! Les installations sont patiemment entretenues par les adhérents de l'Afac, qui répondront volontiers à vos questions. Une expérience pour retrouver son âme d'enfant en rêvant devant la magie de ces circuits miniatures.

2

Paris arty

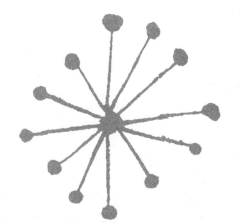

Vivez la révolution sur grand écran
LE CINOCHE VIDÉO DE MARIA KOLEVA

43, boulevard Saint-Michel, 5e • Mo Saint-Michel
Tél. 01 47 00 61 31
Horaires des séances par téléphone, sur Internet ou dans la presse spécialisée

Cela fait vingt ans que Maria Koleva, cinéaste d'origine bulgare, projette des films dans son petit appartement du Quartier latin. Seul changement : la vidéo a succédé à la pellicule, et les films ne sont plus projetés sur écran, mais sur une grande télévision. Lorsque l'on se présente au 43, boulevard Saint-Michel, c'est sans savoir à quoi s'attendre. On sonne à l'interphone et, après avoir monté quelques étages, nous voici chez Maria Koleva. La séance choisie est en pleine semaine, au beau milieu de l'après-midi : il n'y a personne ! Mais cela n'empêche pas Maria de nous installer, de nous demander quel film nous souhaitons visionner et de lancer la projection. Tous les films sont les siens : elle réalise, monte et produit elle-même. Le film du jour, un documentaire intitulé *Christian Sunt*, présente doctement le mouvement des objecteurs de croissance. Pendant un peu plus de trente minutes, Christian Sunt nous explique les tenants et aboutissants de ce mouvement politique et l'alternative qu'il propose. Derrière la caméra, Maria le relance quand il s'essouffle et lui pose exactement les questions que nous aurions posées à sa place. À la fin de la projection, elle prend le temps de discuter quelques instants si l'on en a envie. Passionnée et passionnante, elle souhaite avant tout partager ses films avec le plus grand nombre, ce qui explique que l'entrée soit gratuite. Elle regrette cependant le temps où le public se pressait pour assister aux séances et où tous se mélangeaient dans une ambiance de café littéraire. Les temps ont changé, le public aussi, mais Maria est toujours là. Lorsque l'on se retrouve sur le trottoir après la séance, on a envie de vanter les mérites de Cinoche Vidéo, afin que tout le monde sache qu'il existe une autre façon de faire et de montrer des films.

Travesti transexuel de Transylvanie

STUDIO GALANDE

42, rue Galande, 5ᵉ • Mᵒ Saint-Michel ou Maubert-Mutualité

Tél. 01 43 26 94 08 • www.studiogalande.fr

Vendredi et samedi à 22h, sur réservation au 08 92 89 28 98

Séance : 8 €

The Rocky Horror Picture Show, film de Jim Sharman sorti en 1975, a tout d'abord été un échec commercial. Puis, peu à peu, cette parodie de film d'horreur, de science-fiction et de série B s'est constitué un noyau de fans fidèles et s'est fait connaître dans le monde entier. Le Studio Galande, salle d'art et d'essai du 5ᵉ arrondissement, programme le film tous les week-ends depuis près de trente ans, lors de séances très spéciales. En effet, deux troupes d'animateurs bénévoles sont chargées de faire vivre dans la salle ce que l'on voit à l'image, notamment grâce à des costumes plus extravagants les uns que les autres et à des dizaines d'accessoires. Le public n'est pas en reste, participant activement à ce spectacle pas comme les autres : il est invité par exemple à lancer du riz pour célébrer un mariage ou à arroser ses voisins quand le tonnerre gronde à l'écran. Les spectateurs, qui poussent parfois l'exercice jusqu'à venir habillés comme les acteurs du film, sont plutôt jeunes et bien décidés à s'amuser. Pour profiter de la soirée, il faut donc laisser ses inhibitions au vestiaire et jouer le jeu à fond. On se sent alors rapidement envahi par "l'esprit du Rocky", bien différent de tout ce que l'on a vu jusqu'ici.

Alexandrin, quand tu nous tiens
CLUB DES POÈTES

30, rue de Bourgogne, 7ᵉ • Mᵒ Varenne
Tél. 01 47 05 06 03 • www.poesie.net
Dîner-spectacle mardi, vendredi et samedi à partir de 20h : de 16 à 30 €
Consommation et spectacle dès 21h : à partir de 5 €

Fondé en 1961 par Jean-Pierre Rosnay, le Club des Poètes fut fréquenté au départ par des auteurs comme Aragon ou Cocteau. Aujourd'hui, la clientèle, plutôt fidèle, aime consacrer trois soirées par semaine à la poésie. De 20h à 22h, c'est un temps d'échange, pendant lequel on dîne ou boit un verre en discutant. On peut aussi feuilleter l'un des nombreux livres mis à la disposition de tous un peu partout. Puis, vers 22h, des comédiens viennent dire, souvent en musique, des poèmes de tous les pays et de tous les temps. Si l'envie nous prend de partager à notre tour un texte que l'on a écrit ou que l'on affectionne particulièrement, c'est possible : il suffit de le connaître par cœur ! L'ambiance du lieu, si elle est parfois assez solennelle, est surtout très chaleureuse, ce qui aide les plus timides à franchir le pas. La soirée passe vite, et l'on quitte le Club des Poètes la tête emplie de mots, avec l'envie de se replonger dans tous ces recueils que l'on avait un peu oubliés…

Savourez l'excitation des ventes aux enchères
HÔTEL DES VENTES DROUOT-RICHELIEU

9, rue Drouot, 9ᵉ • Mᵒ Richelieu-Drouot
Tél. 01 48 00 20 20 • www.drouot.fr
Ouvert du lundi au samedi de 11h à 18h

Drouot, la plus ancienne institution de vente aux enchères au monde, organise plus de 3 000 ventes par an. Il existe trois lieux à Paris (les deux autres sont situés au 15, avenue Montaigne, 8ᵉ, et au 64, rue Doudeauville, 18ᵉ), mais celui de la rue Drouot, avec ses seize salles, est le plus important. On pourrait penser que cet endroit prestigieux est réservé aux initiés, mais il est au contraire ouvert à tous, et l'on peut s'y promener à sa guise. Il s'y passe toujours plusieurs choses à la fois. Dans les salles d'exposition, la veille d'une vente – et parfois plusieurs jours avant –, tous les objets sont exposés au public, qui se presse nombreux devant les vitrines. Ici, une femme très chic s'intéresse à un vase bleu ébréché ; là, un homme pressé demande un renseignement sur une statuette de grand prix. On croise des personnes de tous les âges, et beaucoup d'étrangers. Au milieu des tableaux impressionnistes, des bijoux de pacotille et des meubles Art déco, on se sent ailleurs, hors de tout espace-temps. Dans la salle qui jouxte ce véritable musée gratuit se tient une vente. Les portes sont restées ouvertes, il y a foule. Certains sont assis, d'autres debout, un homme entre, un couple sort, le mouvement est incessant… Au bout de quelques instants, on a saisi l'essentiel des termes employés par le commissaire-priseur : "On renonce ?", "Pas de regret ?", "Il y a preneur"… Tout va très vite, un objet ou un lot part souvent en moins d'une minute. Les prix varient considérablement, si bien que toutes les bourses peuvent trouver leur bonheur : un chanceux emporte une mallette contenant plusieurs miroirs et horloges pour 10 €, tandis qu'un collectionneur passionné débourse 3 000 € pour un tableau. On se laisse happer par ce tourbillon, et l'on a simplement envie de rester là, à regarder défiler ces objets qui ont une histoire, en pensant à *Drouot*, la chanson de Barbara : "Comme tous les matins, dans la salle des ventes / Bourdonnait une foule, fiévreuse et impatiente / Ceux qui, pour quelques sous, rachètent pour les vendre / Les trésors fabuleux d'un passé qui n'est plus…" Si l'on est tenté d'enchérir à son tour, un petit guide pratique, disponible gratuitement à l'accueil, explique parfaitement comment se déroule une vente, qui en sont les acteurs, comment vendre, comment acheter… Nous voilà fin prêts pour les enchères ! Calendrier des ventes sur le site Internet.

Un théâtre en langue des signes
INTERNATIONAL VISUAL THEATRE

7, cité Chaptal, 9ᵉ • Mᵒ Blanche ou Pigalle
Tél. 01 53 16 18 18 • www.ivt.fr
Spectacle : 21 € • Tarif réduit : 15 €

Depuis 1976, l'International Visual Theatre, première compagnie de comédiens sourds professionnels, œuvre pour la rencontre entre la culture sourde et la culture entendante. Désormais installé dans l'ancien Théâtre du Grand-Guignol, l'IVT, dirigé par la comédienne Emmanuelle Laborit, propose des spectacles accessibles à tous. On peut ainsi assister à une pièce bilingue français/langue des signes française (LSF), à du théâtre d'ombres ou encore à de la danse contemporaine. Si l'on a envie d'aller plus loin et d'apprendre cette langue fascinante qu'est la LSF, le lieu propose également des cours du soir, des stages intensifs et des ateliers théâtre, accessibles aux sourds comme aux entendants. L'IVT, véritable pont entre deux mondes qui ont parfois du mal à communiquer, est un endroit à fréquenter sans modération.

Rencontrez les acteurs du marché de l'art, à la bonne franquette
ART PROCESS

52, rue Sedaine, 11ᵉ • Mᵒ Voltaire ou Bréguet-Sabin
Tél. 01 47 00 90 85 • www.art-process.com
Soirée Art Talk + drink : 20 € par personne

Une fois par mois, Art Process s'intéresse à un pays ou à une ville et invite des personnalités à discuter de son histoire et de son actualité. L'idée est de tenter de comprendre ce qu'il s'y passe, à travers le prisme de l'art contemporain. Plus qu'une conférence, il s'agit de conversations et de témoignages entre amateurs éclairés, fins connaisseurs ou parfaits novices. Ce soir-là, après l'Italie, la Suisse ou encore la Russie, c'est au tour de la Chine d'être au centre de l'attention. La rencontre se déroule à partir de 19h à l'Hôtel Particulier, lieu délicieux situé sur la butte Montmartre. Pendant une heure, les participants se retrouvent autour d'un verre dans le jardin de l'hôtel. Des couples, des hommes et des femmes seuls, petits groupes d'amis... Certains semblent coutumiers de l'association, d'autres viennent pour la première fois. L'ambiance est détendue, tout le monde discute, d'art ou de tout autre chose. Une chanteuse de jazz nous parle de son prochain concert, une journaliste taiwanaise nous explique pourquoi elle vit à Paris depuis cinq ans... On se sent vite très à l'aise. À 20h, il est temps d'entrer dans le vif du sujet. Dans un salon privé, nous voilà confortablement installé dans un fauteuil moelleux ou sur un gros coussin. Cinq personnalités sont réunies autour de la table tandis qu'Éric Mezan, fondateur d'Art Process, modère les échanges. Un couple de galeristes, une chercheuse, des enseignants : tous connaissent parfaitement leur sujet et sont là pour nous parler de "leur" Chine. Après plus d'une heure de débats passionnants, la conversation se poursuit au bar pour ceux qui le souhaitent. À la fin de la soirée, on porte un regard différent sur la Chine et ses artistes, et l'on se réjouit de toutes ces belles rencontres.

Vivez la magie du théâtre dans une cartoucherie

LA CARTOUCHERIE

Route du Champ-de-Manœuvre, 12ᵉ
Mᵒ Château-de-Vincennes, puis bus 112 (ou navette les jours de spectacle)
www.cartoucherie.fr

Lorsque l'on arrive à la Cartoucherie, en plein bois de Vincennes, on se sent bien loin de Paris. Ancien lieu de fabrication d'armements, la Cartoucherie a été investie en 1970 par Ariane Mnouchkine, qui en fit un lieu de création théâtrale. Cinq théâtres y ont désormais leur place, parmi lesquels le théâtre de la Tempête, dirigé par Philippe Adrien. Si Ariane Mnouchkine présente sa dernière création au théâtre du Soleil, courez-y pour vivre un moment exceptionnel, dans tous les sens du terme. Les pièces peuvent durer plus de trois heures, mais le temps passe très vite, tant le propos est vif et le jeu dynamique. De plus, l'entracte est souvent l'occasion de se restaurer, en se faisant servir par les comédiens eux-mêmes : la Cartoucherie demeure un lieu communautaire, bien loin des théâtres privés parisiens et de leurs exigences. À noter : le centre équestre voisin propose cours hebdomadaires et stages à la journée (http://cartoucherie-equitation.com).

Redécouvrez les classiques en plein air
THÉÂTRE DE VERDURE DU JARDIN SHAKESPEARE

Pré Catelan • Bois de Boulogne
Route de la Reine-Marguerite, 16e • Mo Porte-Maillot, puis bus 244
Tél. 01 40 19 95 33 • www.jardinshakespeare.fr
Spectacle : de 15 à 22 € selon la pièce • Tarif réduit : de 10 à 15 €
Réservations par téléphone ou sur place 15 min avant la représentation

Ceux qui connaissent New York en été ont peut-être goûté aux joies du théâtre en plein air. Au Théâtre de verdure du Jardin Shakespeare, on retrouve ce même plaisir, d'autant que certains spectacles sont proposés en anglais sous-titré. Installé dans un écrin végétal, le lieu peut accueillir jusqu'à 400 spectateurs. Différentes pièces de William Shakespeare y sont représentées. Ici, les bruyères figurent le paysage des sorcières de *Macbeth* ; là, un ruisseau rappelle celui dans lequel s'est noyée l'Ophélie de *Hamlet*... C'est dans ce décor fabuleux que l'on peut, tous les ans de mai à octobre, assister à une pièce en anglais, comme *Jules César* de Shakespeare, ou en français, comme *Les Fourberies de Scapin*, de Molière. Ici, les œuvres les plus classiques résonnent autrement et ravissent le public, notamment les plus jeunes, qui découvrent une autre façon de faire du théâtre.

TOURNEZ, MANÈGE!

Attention, musée pas comme les autres! De surprise en surprise, la profusion de dorures, d'argentures, de miroirs au mercure et de boiseries polychromes dit la splendeur des attractions foraines d'antan. Sans compter que la visite proposée est interactive: on y chevauche des chevaux de bois, cramponné à la barre torsadée, on joue à la loterie des garçons de café, ou encore on fait fonctionner, à la force des mollets, le manège de vélos! Des animateurs, souvent comédiens, guident la visite. Les plus petits s'en donneront à cœur joie, mais les plus grands, séduits par l'atmosphère particulière du lieu, ne bouderont pas non plus leur plaisir.

→ **Musée des Arts forains**
53, avenue des Terroirs-de-France, 12ᵉ • Mᵒ Cour-Saint-Émilion
Tél. 01 43 40 16 15 • www.arts-forains.com
Adultes: 12,50 € • - 12 ans: 4 €
Inscription en ligne possible pour les visites "Spécial Internautes"
(en fonction du nombre de demandes et de la disponibilité des lieux)

Aria sur l'eau
LA PÉNICHE OPÉRA

Face au 46, quai de la Loire, 19ᵉ • Mᵒ Laumière
Tél. 01 53 35 07 77 • www.penicheopera.com
Place: de 12 à 24 €

Aller écouter un opéra à Paris n'est pas réservé aux spectateurs privilégiés du palais Garnier ou de la Bastille. Créée en 1982, la Péniche Opéra propose au fil des saisons toutes sortes de spectacles musicaux. On peut ainsi assister, bercé par le doux mouvement de l'eau, à un opéra-bouffe, comique ou de chambre, à une cantate ou à une comédie musicale. Ici, pas de costumes trois-pièces ni de robes de soirée: l'ambiance est décontractée, et les tarifs, démocratiques. À l'issue de la représentation, on peut même boire un verre avec les autres spectateurs pour échanger ses impressions. On aime aussi beaucoup les petits-déj' musicaux du dimanche matin : après avoir savouré un bon croissant, on assiste en famille à un spectacle musical. Les plus petits sont ravis de monter sur une péniche, et c'est l'occasion rêvée de les initier en douceur aux joies de la musique. Programme complet sur le site Internet.

Chantez à chœur vaillant
BACHIQUES BOUZOUKS

www.bachiquesbouzouks.com

L'aventure des Bachiques Bouzouks commence dans les années 1990, lors de la fête de fin d'année d'une école parisienne. Des parents d'élèves distribuent des paroles de chansons, et tout le monde se met à chanter autour d'un accordéon. Au vu du succès rencontré dans cette cour d'école, les Bachiques Bouzouks décident d'exporter leurs talents et d'organiser dans la rue des fêtes ouvertes à tous. Aujourd'hui, l'accordéon est accompagné d'une contrebasse et d'un banjo, et le petit groupe dispose d'un répertoire de plus de 130 chansons, qui vont de textes traditionnels français – *Ah! le petit vin blanc* ou *Ça c'est Paris* – à des chants politiques comme *L'Internationale* ou *Bella ciao*. Les passants se voient distribuer un livret de paroles et sont invités à chanter en chœur. Si le lieu le permet, il n'est pas rare de se voir offrir verre de vin et grignotage. Les Bachiques Bouzouks animent également des repas de quartier, se produisent lors de la Fête de la Musique, de celle du Beaujolais… Croiser le chemin des Bachiques Bouzouks est la promesse d'une soirée revigorante à souhait, dans une ambiance toujours joyeuse et bon enfant, qui ne verse jamais dans la fausse nostalgie. Dates des concerts sur le site Internet.

Au Kool lé-lé

PARIS UKULELE HUI

www.ukulele.fr

Le deuxième jeudi du mois (sauf en août), à partir de 19h30,

dans un café parisien

Entrée libre

Le ukulélé, cet instrument à cordes pincées venu des îles Hawaï, est de nouveau très en vogue – en partie grâce à Julien Doré ? Une fois par mois, le Ukulélé Club de France organise une soirée ouverte à tous, dans un bar de la capitale. Indiqué sur le site Internet quelque temps avant la date, le lieu change fréquemment, mais le programme, lui, est toujours le même ! Dès 19h30, les ukulélistes et leurs amis se retrouvent autour d'un verre ou d'un repas pour partager leur passion. Un peu partout sont posés des instruments. On compare d'abord leurs sonorités, la façon dont il faut en jouer, puis vient le moment d'apprendre, tous ensemble, le même morceau, accessible aux débutants comme aux musiciens confirmés. Ensuite, c'est scène ouverte ! Il y a les habitués, qui manient leur instrument avec dextérité, mais aussi les petits nouveaux, qui hésitent un moment avant de se lancer. Au bout du compte, l'ambiance festive achève de convaincre tout le monde, et l'on assiste à un véritable concert. Pour la prochaine session, peut-être viendrez-vous avec votre propre ukulélé ?

3

En coulisses

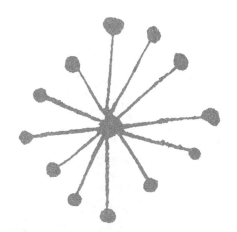

Derrière le rideau du Théâtre-Français
COMÉDIE-FRANÇAISE

Place Colette, 1er • Mo Palais-Royal-Musée-du-Louvre

Tél. 01 44 58 13 16 • www.comedie-francaise.fr

Visites de groupe samedi et dimanche matin : 180 € (réserver longtemps
à l'avance)

La Comédie-Française propose toute l'année des visites-conférences à destination des groupes uniquement. Associations,
groupes scolaires ou comités d'entreprise peuvent pénétrer
dans les coulisses du théâtre pour en percer tous les secrets.
La collection d'œuvres d'art – peintures, sculptures – et de reliques, comme la montre de Molière ou le fauteuil dans lequel il
joua *Le Malade imaginaire*, est si riche que la plus grande partie
se trouve dans les réserves. À travers les dédales de couloirs, de
galeries et d'escaliers, on découvre que la Comédie-Française
est un véritable labyrinthe dans lequel il serait très facile de
s'égarer. On en apprend beaucoup sur l'histoire du théâtre depuis trois siècles, mais également sur la façon dont fonctionne
aujourd'hui la maison, on découvre ce qu'est un pensionnaire
ou un sociétaire, et quels sont les différents métiers exercés au
sein de ce lieu qui donne près de 900 représentations par saison.
Une visite passionnante, qui fait regretter seulement qu'elle ne
soit pas ouverte aux particuliers.

La face cachée du cinéma
LES ÉTOILES DU REX

Grand Rex

1, boulevard Poissonnière, 2e • Mo Bonne-Nouvelle

Tél. 01 45 08 93 58 • www.legrandrex.com

Du mercredi au dimanche de 10h à 19h. Pendant les vacances scolaires,
le lundi de 14h à 19h et du mardi au dimanche de 10h à 19h

Plein tarif : 9 € • Tarif réduit : 8 €

Tout au long d'un parcours-spectacle interactif, les Étoiles du
Rex proposent de découvrir les dessous du cinéma. La visite
est à la fois didactique – on apprend notamment comment
travaille un projectionniste – et ludique : à nous de tester dif-

férents effets spéciaux, grâce à un ventilateur ou à un brumisateur, ou de nous essayer au doublage. Le plus spectaculaire reste sans doute l'arrivée de King Kong, dans une salle où les fauteuils bougent au rythme de l'animal. On est alors dans la peau de l'un des figurants du célèbre blockbuster! À plusieurs reprises, on est filmé, pour découvrir ensuite à l'écran notre silhouette incrustée dans l'image. Les enfants seront ravis de se voir ainsi transformés en vedettes de cinéma. Attention toutefois: les plus petits peuvent avoir peur et, une fois la visite engagée, on ne peut plus revenir en arrière...

DEVENEZ ACTEUR D'UN JOUR

Vous habitez à Paris et vous avez envie de découvrir les coulisses d'une journée de tournage? Pourquoi ne pas devenir figurant? Que vous soyez blond ou roux, petit ou grand, super canon ou un peu enveloppé, jeune ou plus âgé, tout le monde peut faire de la figuration puisque le cinéma est le reflet de la diversité de la population! Une seule condition, néanmoins: être doté d'une bonne dose de patience, car les journées de tournage sont souvent longues, même si l'on n'a besoin de vous que pour une ou deux prises. Outre les longs-métrages français ou étrangers (*Inception* a été tourné à Paris), la capitale est le décor de nombre de publicités, courts-métrages, films d'études ou séries télévisées. Les tournages (840 à Paris en 2009) ont souvent lieu au mois d'août, à une période où le temps est normalement au beau fixe et la circulation plus fluide dans Paris. Alors, n'hésitez pas à consulter les sites Internet ci-dessous ou à vous inscrire dans une agence de casting – vous en profiterez au passage pour arrondir vos fins de mois...

→ **Pôle emploi Spectacle - Agence Alhambra**
50, rue de Malte, 11ᵉ • Mᵒ République

→ **Pôle emploi Spectacle - Agence Georges-Méliès**
62, rue du Landy • 93210 La Plaine Saint-Denis
RER La Plaine-Stade-de-France
www.culture-spectacle.anpe.fr

→ **Devenir figurant**
www.devenir.figurant.com

Dans l'intimité d'une tragédienne
LOGE DE SARAH BERNHARDT

Théâtre de la Ville
2, place du Châtelet, 4ᵉ • Mᵒ Châtelet
Tél. 01 48 87 54 42 • www.theatredelaville-paris.com
Sur rendez-vous uniquement

Si l'on assiste à un spectacle au Théâtre de la Ville, pour peu que l'on ait annoncé sa visite par téléphone, on pourra profiter de l'entracte pour accéder à la loge reconstituée de la grande Sarah Bernhardt, guidé par l'un des régisseurs du lieu. Pour s'y rendre, on traverse les coulisses du théâtre, observant avec intérêt les nombreux techniciens qui s'affairent, tandis que se préparent comédiens ou danseurs. Dans la loge, on admire quelques objets qui ont survécu à la réfection de 1968. Panneaux de bois, sofa, miroirs et baignoire constituent l'ensemble du mobilier. Dans des vitrines, des lettres, foulards et bibelots sont conservés. On a le sentiment de pénétrer dans l'intimité d'une comédienne, et grâce à toutes ces reliques, de mieux comprendre de quoi sa vie fut faite. Ensuite, c'est avec un petit quelque chose en plus, le souvenir de s'être évadé un court instant, que l'on regagne son fauteuil dans la salle.

Jouez au directeur de casting
CONSERVATOIRE NATIONAL SUPÉRIEUR D'ART DRAMATIQUE

2 bis, rue du Conservatoire, 9ᵉ • Mᵒ Grands-Boulevards
Tél. 01 42 46 12 91 • www.cnsad.fr • reservation@cnsad.fr
Entrée libre • Réservations par mail ou par téléphone

Le Conservatoire national supérieur d'art dramatique, cette école prestigieuse qui fait rêver tous les comédiens en devenir, ouvre régulièrement ses portes pour des représentations publiques gratuites. Selon les classes et la période de l'année, il peut s'agir d'une pièce entière ou d'extraits d'œuvres du répertoire. En arrivant quelques minutes avant le début de la représentation, on est saisi par l'effervescence qui règne dans le hall: professeurs descendus régler les derniers détails, familles impatientes d'assis-

ter aux premiers pas des leurs, élèves venus soutenir leurs cama-
rades… À l'heure dite, on entre dans une salle aux magnifiques
boiseries. Les bancs ne sont pas des plus confortables, on y est un
peu serré, il fait chaud, mais qu'importe, le spectacle peut commencer. Pendant deux ou trois heures, on se laisse emporter par
les mots de Paul Claudel, d'Anton Tchekhov ou de Victor Hugo,
et, même si certains sont plus convaincants que d'autres, tous
les comédiens sont portés par l'irrépressible ferveur des débuts.
Lorsque retentissent les derniers applaudissements, on ne peut
s'empêcher de faire quelques pronostics, mais l'on se sent chanceux, surtout, d'avoir assisté à un spectacle joué avec tant de gé-
nérosité. Agenda des représentations gratuites sur le site Internet.

Assistez à une émission de télévision
CASTING EVENTS

www.casting-events.com (répertoire des émissions enregistrées en public)
Ça balance à Paris, *On n'est pas couché*, *Nouvelle Star* ou encore *Taratata*, il est possible d'assister à l'enregistrement de bon
nombre d'émissions de télévision. Dans certains cas, le public,
destiné à n'être que le faire-valoir de l'animateur, n'est pas
toujours bien traité – il faut arriver très longtemps à l'avance,
attendre dans une ambiance surchauffée et applaudir sur commande –, mais il y a heureusement des exceptions. Notamment,
le talk-show de Frédéric Taddéï *Ce soir (ou jamais!)*, sur France 3,
laisse la liberté au public de se promener à sa guise dans le studio, dans une ambiance intime et chaleureuse. Une excellente
façon de découvrir les coulisses d'un plateau de télévision, tout
en assistant à des débats souvent passionnants avec des invités aussi différents que Juliette Gréco ou Martin Hirsch, par
exemple. Et le fait que l'émission soit tournée en direct ajoute
une petite pointe d'adrénaline plutôt plaisante!
Du lundi au jeudi (sauf l'été) dans le Studio 330 de France Télévisions,
dès 21h (et parfois jusqu'après minuit!) • Renseignements et réservations
au 01 42 41 31 12

Assistez à une émission de radio

MAISON DE LA RADIO

116, avenue du Président-Kennedy, 16e
M° Ranelagh ou RER Avenue-du-Président-Kennedy
Tél. 01 56 40 32 01 • www.radiofrance.fr

Moins courues que les émissions de télé (voir ci-contre), de nombreux programmes radio sont également accessibles au public. Le mieux est d'opter pour une émission de Radio France, ce qui permet de pénétrer exceptionnellement dans la Maison de la Radio, malheureusement fermée au public depuis quelques années. Véritable labyrinthe, dédale de couloirs, de bureaux et de studios, la Maison de la Radio est un lieu impressionnant, où il n'est pas rare de croiser journalistes de renom ou invités prestigieux. En ce qui concerne les émissions, les programmes de France Musique sont une excellente occasion pour les amoureux de musique classique d'assister à des concerts gratuits, tandis que les fidèles de France Inter opteront pour l'une des émissions phare de l'antenne, comme *Le Masque et la Plume* ou *Le Fou du Roi*. Inutile de réserver : il suffit de se présenter jusqu'à 30 min avant le début de l'émission. Plus les invités sont médiatiques, plus il est conseillé de venir tôt !

Le Masque et la Plume : enregistrement un jeudi sur deux de 20h à 22h, au Studio 105 ou 106
Le Fou du Roi : enregistrement en direct du lundi au vendredi de 11h à 12h30, au Studio 106

4

Sens dessus dessous

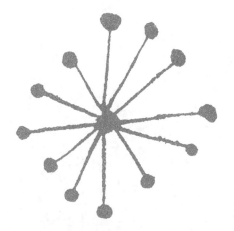

Aventures en sous-sol
MUSÉE DES ÉGOUTS

Face au 93, quai d'Orsay, 7ᵉ • Mᵒ Alma-Marceau
Tél. 01 53 68 27 81 • www.paris.fr, rubrique "Paris Loisirs" > "Musées"
Ouvert du samedi au mercredi de 11h à 16h d'octobre à avril, jusqu'à 17h de mai
à septembre
Entrée : 4,30 € • Tarif réduit : 3,50 €

Jusqu'en 1975, les égouts de Paris pouvaient encore se parcourir
en barque. Aujourd'hui, on suit à pied un parcours numéroté,
aidé de la notice distribuée à l'entrée, mais cette plongée à 5 m
sous terre, au cœur du réseau d'assainissement de la ville, reste
fascinante. Les égouts de Paris comptent plus de 2 400 km de galeries. Chacune d'entre elles est dotée d'une plaque de rue qui
porte son nom, le même que celui de l'artère qui la surplombe.
Le musée des Égouts, grâce à des maquettes, mais aussi à de
vrais engins, nous raconte leur histoire, de Lutèce à nos jours.
Sur plus de 500 m et pendant une heure environ, on déambule,
accompagné d'égoutiers passionnés, et l'on découvre les différents cycles de l'eau, la façon dont travaillent les égoutiers, le
matériel utilisé… Dans telle partie du réseau d'assainissement,
aménagé et sécurisé, on se trouve au cœur des égouts de Paris,
passant devant le collecteur de l'avenue Bosquet ou le déversoir
d'orage de la place de la Résistance. Une visite passionnante et
insolite. La seule réserve concerne les odeurs, pas toujours très
agréables… Mieux vaut donc éviter de visiter le musée un jour
de canicule !

De profundis
CATACOMBES DE PARIS

1, avenue du Colonel-Henri-Rol-Tanguy, 14ᵉ • Mᵒ Denfert-Rochereau
Tél. 01 43 22 47 63 • www.catacombes.paris.fr
Ouvert du mardi au dimanche de 10h à 17h (fermeture des caisses à 16h)
Entrée : 8 € • + 60 ans et demandeurs d'emploi : 6 € • 14-26 ans : 4 €
- 13 ans : gratuit
Les catacombes ne peuvent accueillir plus de 200 visiteurs à la fois :
visite conseillée hors vacances scolaires, pour éviter les longues files d'attente.

Tout le monde a entendu parler des catacombes, mais qui a déjà eu la curiosité de s'y aventurer ? La visite débute par l'historique des lieux. On apprend notamment que les ossements de six millions de Parisiens furent transférés ici entre la fin du XVIIIᵉ et le milieu du XIXᵉ siècle, pour parer à la fermeture de bon nombre des cimetières de la capitale. Quelque peu troublé par le vers de Delille qui nous accueille à l'entrée – "Arrête ! C'est ici l'empire de la mort" –, on entame tout de même le parcours, à 20 m sous terre. Pendant 2 km de visite, nous croiserons peut-être Jean de La Fontaine, François Rabelais ou encore Charles Perrault, ou du moins ce qu'il en reste. Le plus impressionnant n'est pas la carrière proprement dite, ni même le nombre faramineux d'ossements, mais sans doute les phrases extraites de la Bible et autres citations inscrites sur les murs, qui ponctuent la visite d'une drôle de manière. Par exemple : "Pensez au matin que vous n'irez peut-être pas jusqu'au soir." Ça fait froid dans le dos, non ? Même si elles sont très visitées, il règne dans les catacombes une atmosphère particulière qui ne laissera personne indifférent. Pensez à vous munir d'une petite laine, même l'été : ici, la température ne dépasse pas les 14 °C.

Cap sur les carrières
SOCIÉTÉ D'ÉTUDES ET D'AMÉNAGEMENT
DES ANCIENNES CARRIÈRES DES CAPUCINS

27, rue du Faubourg-Saint-Jacques, 14ᵉ • Mᵒ Saint-Jacques

www.seadacc.com

Visite guidée : 7 €

Sous l'hôpital Cochin se cachent les anciennes carrières des Capucins. La visite guidée commence par une petite salle d'exposition qui raconte l'histoire du lieu. Après avoir descendu 199 marches, nous voici à 20 m sous terre. Au fil des galeries, on apprend que les sous-sols de la capitale, exploités par endroits jusqu'au XIXᵉ siècle, regorgeaient naguère de richesses. Calcaire, gypse, graviers ou marnes vertes, on y trouvait tout le nécessaire à la construction des plus grands édifices, tels Notre-Dame et le Pont-Neuf. Tout au long du parcours, grâce à un guide incollable sur le sujet, on découvre les moyens utilisés à l'époque pour extraire la roche, la façon de consolider les blocs pour qu'ils ne s'effondrent pas, on passe devant un puits de service ou devant des sculptures créées par des travailleurs… Si l'on se sent un peu perdu dans ces dédales de galeries, de petits panneaux nous indiquent les rues qui se trouvent au-dessus de nos têtes. Une fois la visite terminée, on a découvert Paris sous un jour nouveau, et l'on comprend mieux l'histoire de la ville.

Prenez de l'altitude
BALLON DE PARIS

Parc André-Citroën
Quai André-Citroën, 15e • Mo Javel ou Balard
Tél. 01 44 26 20 00 • www.ballondeparis.com
Ouvert tous les jours de 9h à 30 min avant la fermeture du parc
(téléphoner pour vérifier que les conditions météorologiques permettent les vols)
Adultes : 12 € le week-end, 10 € en semaine • 12-17 ans : 10 €/9 €
3-11 ans : 6 €/5 € • - 3 ans : gratuit

Le plus grand ballon du monde a pris ses quartiers au cœur du 15e arrondissement. Monter à bord promet un joli voyage. Ici, pas de sensations fortes, le décollage s'effectue en douceur. Les voitures et les immeubles deviennent de plus en plus petits, et la vue sur Paris, de plus en plus belle. Les enfants adorent, et peuvent se promener dans la nacelle en toute sécurité. Arrivés à 150 m d'altitude, on domine la ville, suspendu dans les airs. Seul le vent, par le léger balancement qu'il induit, nous rappelle que l'on se trouve dans un ballon gonflé à l'hélium. On se prend à rêver à ce qui arriverait si les câbles venaient à se décrocher... Une véritable aventure, digne des meilleurs romans de Jules Verne ! Mais, au bout d'une dizaine de minutes, alors que l'on commence vraiment à y prendre goût, il est déjà temps de redescendre. C'est le seul reproche à faire au Ballon de Paris : il ne vole pas assez longtemps !

Une vue ébouriffante !
MONTPARNASSE 56

Parvis de la gare Montparnasse, 15e • Mo Montparnasse-Bienvenüe
Tél. 01 45 38 52 56 • www.tourmontparnasse56.com
Ouvert de 9h30 à 22h30 en hiver (23h le vendredi et le samedi),
jusqu'à 23h30 en été • Dernière montée 30 min avant la fermeture
Adultes : 11 € • Étudiants : 8 € • 7-15 ans : 4,70 € • - 6 ans : gratuit

En parfait Parisien, on connaît bien la tour Montparnasse... mais de loin, car on considère souvent que son ascension est réservée aux touristes. Pourtant, en descendant de l'ascenseur qui nous mène vers le sommet de la tour en 38 secondes

– attention aux oreilles bouchées! –, on a l'impression de re-découvrir la ville. Le 56e étage, à 196m d'altitude, offre une vue à 360 degrés, totalement inédite. Les tables d'orientation nous permettent de situer tel monument, telle avenue, tel jardin… Et, si l'on est d'humeur joueuse, le parcours interactif rendra la visite plus ludique encore. Ensuite, direction le toit-terrasse, à 210m du sol. La vue panoramique est là aussi des plus surprenantes, le charme des cheveux au vent en plus! On domine Paris avec un véritable sentiment de liberté. Une fois revenus au sol, même ceux qui trouvaient jusqu'alors que la tour peinait à se fondre dans l'architecture de la ville auront changé d'avis, séduits par ce voyage dans un ciel aux accents new-yorkais.

Survoler Paris en hélico
HÉLIPARIS

Tél. 01 41 31 33 92 • www.helicoptere.com
Vol collectif (30 min): 139 € • Vol individuel (45 min): 749 €

Admirer Paris depuis la cabine d'un hélicoptère n'est plus le privilège des milliardaires en goguette! En réalité, comme le survol de la capitale est interdit, on suit le trajet du périphérique, mais cela permet de voir parfaitement les plus grands monuments. Le pilote renseigne les passagers le cas échéant, mais le spectacle est si fabuleux qu'il se passe souvent de commentaire! Un seul regret: les vols de nuit étant interdits, on ne peut pas profiter des illuminations… Si l'expérience vous a plu et que vous avez envie de passer aux commandes, des séances de pilotage sont possibles. Comptez 219 € pour 20 minutes, dont 15 de vol.

5

Découvrir la ville
autrement

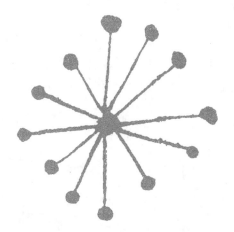

Pour jouer aux touristes

4 ROUES SOUS 1 PARAPLUIE

22, rue Bernard-Dimey, 18e • Mo Porte-de-Saint-Ouen
Tél. 0800 800 631 • www.4roues-sous-1parapluie.com
Promenade (1h30) : à partir de 54 € par personne

Rendez-vous est pris en bas des marches de l'Opéra Garnier.
Inutile de se demander comment reconnaître notre chauffeur,
il nous attend devant une 2 CV d'un rouge flamboyant dans
laquelle on s'installe à l'avant ou à l'arrière, selon notre envie.
Les jours de beau temps, on roule cheveux au vent ; si par
malheur il tombe quelques gouttes, une capote transparente
permet de profiter du ciel de Paris sans être mouillé. La balade
peut commencer, aux côtés de celui qui, en plus d'être chauffeur, sera notre guide. Les informations historiques se mêlant à
des anecdotes plus insolites, même les Parisiens pure souche en
apprendront beaucoup, avec en prime la délicieuse impression
de se sentir touristes dans leur propre ville. Plusieurs circuits
sont possibles, du classique "Paris éternel" au plus insolite "Paris
méconnu", en passant par la "virée Monopoly" qui vous emmè-
nera sur les "quartiers-cases" du célèbre jeu de société. Le tout
est modulable, en fonction du point de départ souhaité et des
quartiers que vous avez envie de découvrir. Mais le temps passe
vite en 2 CV, il est déjà l'heure de descendre de notre carrosse
qui, s'il est parfois un peu bruyant, a le mérite de faire sourire
les passants !

Croisière privée

RIVER LIMOUSINE

Tél. 06 86 07 87 37 • www.river-limousine.com
Croisière 1h : 450 € • 1h30 : 650 €

Après un séjour à Venise, Joseph a eu envie de s'offrir une
croisière privée sur la Seine en amoureux, et s'est vite rendu
compte qu'une telle offre n'existait pas. Ni une ni deux, il a fait
construire un bateau à Venise, l'a baptisé *L'Armelle*, en hommage
à sa femme, et s'est lancé dans l'aventure. Parisiens en quête
de romantisme ou touristes étrangers souhaitant découvrir la

ville autrement, nombreux sont ceux qui font appel à lui, de jour comme de nuit, été comme hiver. Cabine privative, champagne, douceurs sucrées : la promenade est plus que luxueuse. Bien sûr, tout cela a un coût, mais, pour une occasion spéciale, cela vaut vraiment la peine d'offrir – ou de s'offrir – cette balade au fil de l'eau. Du bateau, qui peut accueillir jusqu'à 6 passagers, le point de vue est totalement inédit : on remarque par exemple des façades incroyables, impossibles à voir quand on circule en voiture. Les monuments défilent, Paris est à nous. Et si les prestations sont haut de gamme, l'ambiance est vraiment bon enfant, d'autant que Joseph se fait une joie de partager, si on le sollicite, ses innombrables anecdotes sur la Ville lumière. Quand arrive le moment de regagner la terre ferme, on a déjà hâte de renouveler l'aventure !

Flânez de quai en quai
BATOBUS

Tél. 0825 05 01 01 • www.batobus.com
De 10h30 à 16h30 en novembre-décembre, de 10h à 21h30 de juin à août, de 10h à 19h en septembre-octobre • Passage toutes les 15-20 min
Forfait journée : 13 € • Détenteurs pass Navigo ou carte Imagine R : 9 €
- 16 ans : 7 €

Le Batobus est une excellente alternative aux bateaux-mouches et autres vedettes. Huit escales sont possibles, de la tour Eiffel aux Champs-Élysées, en passant par l'Hôtel de Ville et Saint-Germain-des-Prés. Le forfait permet d'emprunter le Batobus autant de fois qu'on le souhaite dans la même journée. On peut ainsi combiner une expo au musée d'Orsay, un pique-nique près de Notre-Dame et une séance shopping à Saint-Germain. C'est ludique, ça change du bus et du métro, et ça donne le sentiment agréable de n'être que de passage dans la capitale.

À l'est, du nouveau en navette !

VOGUÉO

www.paris.fr

Du lundi au vendredi de 7h à 20h30, samedi et dimanche de 10h à 20h

Passage toutes les 15-20 min

Billet : 3 € (gratuit pour les détenteurs d'un abonnement RATP)

Si le Batobus s'adresse plutôt aux touristes et à ceux qui veulent se balader dans la capitale, Voguéo, véritable navette fluviale, est destiné aux Parisiens avant tout. Ce bateau vert et bleu va de la gare d'Austerlitz à Maisons-Alfort, en faisant escale à la BnF, à Bercy et à Ivry. Une agréable façon de découvrir des quartiers que l'on ne connaît pas toujours très bien.

Découvrez Paris à petites foulées

PARISRUNNINGTOURS

Tél. 06 30 86 41 70 • www.parisrunningtour.com

Circuit 1h : de 55 à 85 € par personne (en fonction du nombre de participants)

Faire du tourisme et du sport en même temps est un concept très en vogue aux États-Unis. ParisRunningTours s'en est inspiré pour mettre au point plusieurs circuits qui permettent aux visiteurs soucieux de garder la ligne, mais aussi aux Parisiens débordés, d'allier forme et curiosité. On optera ainsi pour les canaux parisiens, les églises, ou encore un parcours sur les traces de la Révolution française, à moins qu'on ne préfère établir un circuit à la carte, sur demande. Les balades sont ouvertes à tous, coureurs amateurs ou confirmés, mais mieux vaut tout de même avoir une petite expérience avant de se lancer. Et si vous avez surestimé vos capacités, pas de panique : le coach accompagnateur adaptera le parcours à votre rythme. Bref, le tourisme en courant est une formule ludique, idéale pour les amoureux de la capitale qui rechignent à se mettre au sport ! Détail des circuits (kilométrage, difficulté et durée) sur le site Internet.

Visitez Paris avec des amoureux de la capitale
PARISIEN D'UN JOUR

www.parisiendunjour.fr

L'association Parisien d'un jour met en relation tous ceux qui souhaitent visiter la ville autrement, en compagnie de Parisiens bénévoles amoureux de leur cadre de vie. Si le concept séduit surtout les touristes étrangers, il s'adresse aussi aux provinciaux, et même aux Parisiens pure souche. Pour s'inscrire, rien de plus simple : il suffit de remplir un formulaire sur le site Internet en indiquant ses disponibilités. On se verra ensuite proposer une balade, que l'on sera libre d'accepter ou non. Ce jour-là, rendez-vous est pris avec Valérie pour une découverte du quartier de la Nouvelle-Athènes, dans le 9e. À l'heure dite, dans le jardin du musée de la Vie romantique, on retrouve notre guide d'un jour, ainsi qu'une Américaine en vacances à Paris. La promenade commence. Pendant près de deux heures, on déambule dans ce quartier méconnu, passant d'une rue très agitée à une impasse au calme absolu. On entre dans des endroits où l'on n'avait jamais mis les pieds, comme la toute nouvelle bibliothèque Chaptal, qui vaut le détour. Ce n'est pas une visite classique, historique, mais l'on apprend beaucoup de choses. Surtout, on prend le temps de s'arrêter où d'ordinaire on ne faisait que passer. En quittant nos compagnons de cette fin d'après-midi, on est heureux d'avoir participé à ce moment de partage. Et l'on pourrait bien être tenté à son tour de communiquer son amour de Paris…

Randos cool à vélo
PARIS CHARMS & SECRETS

Tél. 01 40 29 00 00 • www.parischarmssecrets.com
Départs à 9h30, 14h30 et 20h (8h30 le dimanche et 19h en hiver)
Balade de 4h : 49 € par personne

Il y a quelques années, Olivier laissait de côté sa carrière de trader pour se lancer dans l'aventure de Paris Charms & Secrets. Son idée, au départ, était de faire découvrir Paris comme lui-même souhaitait découvrir les villes qu'il visite. Après s'être longuement documenté, il a commandé des vélos électriques et a proposé ses premières visites. Aujourd'hui, une dizaine de guides travaillent pour lui et des parcours sont organisés plusieurs fois par jour, tout au long de l'année. La balade, par groupe de 12 personnes maximum, fait 25 km et dure 4 heures. Au départ de la place Vendôme, on pédale autour du Palais-Royal, dans les rues de Saint-Germain-des-Prés, on passe devant les Invalides, la tour Eiffel… Au-delà de la séduisante idée des vélos électriques, c'est le contenu de la visite, très riche, qui fait fonctionner le bouche à oreille. Olivier, soucieux de satisfaire ses clients, est très exigeant quant à la qualité des informations délivrées. Son but est de rendre plus vivants les lieux incontournables de la capitale, notamment grâce à des anecdotes, mais aussi de faire découvrir des endroits méconnus. Il est par exemple le seul guide autorisé à faire visiter l'agence de la Société Générale du boulevard Haussmann, absolument époustouflante •

Bike by night
PARIS RANDO VÉLO

Tél. 06 64 17 90 44 • www.parisrandovelo.com
Tous les vendredis à 21h30
Participation gratuite

Depuis plus de dix ans, Paris Rando Vélo organise des balades à vélo le vendredi soir dans les rues de la capitale. La randonnée dure environ 2h30 et court sur 20 à 25 km. Si le point de ralliement est toujours l'Hôtel de Ville, le parcours, lui, change chaque semaine. On pourra ainsi passer devant le Panthéon, la Bastille et le Louvre, ou bien aller dans le coin des Champs-Élysées : avenue Montaigne, Trocadéro et retour par Saint-Germain-des-Prés. Il ne faut pas hésiter à faire des suggestions aux organisateurs, toujours prêts à faire découvrir de nouveaux lieux. En moyenne, chaque balade attire quelque 180 participants, passionnés par la petite reine et équipés du matériel dernier cri, ou novices venus en simples curieux sur leur Vélib'. Une équipe de staffeurs encadre tout ce petit monde et assure sa sécurité. Bref, on fait du sport et des rencontres tout en profitant de Paris la nuit… Elle est pas belle, la vie ?

COMME À PÉKIN… OU PRESQUE !

Qui n'a pas déjà aperçu, au détour d'une rue, ces vélos pas comme les autres transportant jusqu'à deux adultes et un enfant ? **Urban-Cab** propose des circuits découverte ou des promenades commentées. Le parcours peut être des plus classiques – les environs de la tour Eiffel, par exemple –, mais l'on peut aussi composer soi-même son itinéraire. Une balade touristique et écologique à tester de toute urgence !

Après Berlin, Londres et New York, le pousse-pousse fait son entrée dans la capitale ! Les tricycles élégants de **Taxi King Clovis** proposent de joindre l'utile à l'agréable en donnant à nos déplacement des allures de balade insolite. Les tarifs varient selon la distance à parcourir, le nombre de personnes – pas plus de trois – et… le dénivelé ! Un seul mot d'ordre : anticiper le plus possible son déplacement car, s'il s'agit bien de taxis, la demande est actuellement trop forte par rapport à l'offre pour satisfaire les besoins de dernière minute. Renseignements et réservations par téléphone.

→ **Urban-Cab**
Tél. 06 17 08 42 88 • www.urban-cab.com
Balade de 1h : 59 € • Balade de 2h : 150 €

→ **Taxi King Clovis**
Tél. 06 65 63 81 61 • www.taxikingclovis.com

Louez un bus rien que pour vous
LOCABUS

Tél. 01 58 78 48 99 ou 01 58 78 49 08

www.ratp.info, rubrique "Loisirs" > "Louer un bus"

Renseignements et devis par téléphone

Les Parisiens les plus nostalgiques seront ravis de pouvoir louer, le temps d'une journée ou pour quelques heures, de vieux bus de la RATP. Ce système de location, qui existe depuis 1912, enchante tous ceux qui souhaitent célébrer leur anniversaire ou leur mariage d'une façon originale. Et chaque modèle est loué avec son chauffeur ! On optera par exemple pour un bus des années 1970, avec ses 70 places, dont 23 assises, ou, mieux encore, pour un modèle des années 1930, de 50 places, dont 30 assises, dont la célèbre plate-forme permet de circuler cheveux au vent dans les rues de la capitale. La fête promet d'être belle : les invités, conquis, s'amusent sous les yeux ébahis des passants. L'opération remportant un grand succès, il faut réserver au moins trois mois à l'avance pour être sûr d'être comblé.

Jouez aux touristes à petit prix
BALABUS

www.ratp.fr

Tous les dimanches après-midi d'avril à septembre, de 12h30 à 20h30

Départs de la gare de Lyon et de La Défense, toutes les 30 min environ

Voyage : 1 ticket de métro (1,70 €)

Prendre le Balabus est une excellente façon d'occuper son dimanche après-midi. Au milieu des touristes de toutes nationalités, l'on traverse la capitale. On prend le temps de redécouvrir la Bastille, l'île Saint-Louis, Notre-Dame, le musée d'Orsay ou encore les Champs-Élysées, à petit prix et sans se fatiguer ! Bon à savoir : pour être sûr d'avoir une place assise, mieux vaut monter en début de parcours.

POUR LES ARCHI-FANS

L'agence immobilière Architecture de collection, qui ne vend que des biens exceptionnels, a la bonne idée de proposer des parcours architecturaux au grand public. Les balades ont lieu dans des endroits aussi différents que le 16ᵉ arrondissement, le secteur de la BnF ou Boulogne-Billancourt, et de nouveaux itinéraires sont en cours d'élaboration. Aujourd'hui, rendez-vous est pris devant La Coupole pour découvrir les ateliers d'artistes dont regorge le 14ᵉ arrondissement. Il y a une quinzaine d'inscrits, et toutes les générations sont représentées. Pendant près de trois heures, on parcourt le quartier d'un pas vif, de Montparnasse jusqu'aux environs du parc Montsouris. On remarque des façades étonnantes, devant lesquelles on était déjà passé plusieurs fois sans lever les yeux! C'est l'occasion de découvrir l'origine des différents ateliers, leurs architectes et leurs hôtes prestigieux, de Man Ray à Francis Scott Fitzgerald, en passant par Georges Braque. Si l'on doit, malheureusement, se contenter d'admirer les ateliers de l'extérieur, le bonheur est à son comble quand le guide nous entraîne dans les cités d'artistes cachées derrière de lourdes portes codées. Paris semble alors prêt à nous dévoiler quelques-uns de ses plus beaux secrets…

→ **Architecture de collection**
21, rue Greneta, 2ᵉ • Mᵒ Étienne-Marcel
Tél. 01 53 00 97 44 • www.architecturedecollection.fr
De 15 à 20 € selon le parcours

6

Chlorophylle inspirée

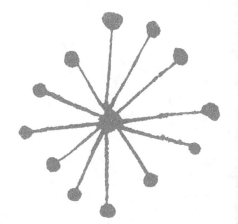

Prenez l'air de la montagne
JARDIN ALPIN DU JARDIN DES PLANTES

36, rue Geoffroy-Saint-Hilaire, 5ᵉ • Mᵒ Jussieu ou Gare-d'Austerlitz
Tél. 01 40 79 56 01 • www.jardindesplantes.net
Ouvert d'avril à octobre, du lundi au vendredi de 8h à 16h40, le samedi
de 13h30 à 18h, le dimanche de 13h30 à 18h30
Gratuit en semaine, 1 € les week-ends et jours fériés

Il vaut mieux se rendre au Jardin alpin le matin, de préférence
en semaine. D'abord parce que c'est gratuit, mais aussi parce
qu'avec un peu de chance il n'y aura pas un chat! On se pro-
mènera en toute quiétude sur des sentiers escarpés, au milieu
des brouettes des jardiniers. Fleurs et plantes – près de 2 000 espèces – proviennent des reliefs des quatre coins du monde, des
Ardennes à l'Himalaya, en passant par la Corse. Arbres vieux
de plusieurs siècles, herbes aux parfums envoûtants, petit cours
d'eau, tout est fait pour que l'on se sente loin de la ville. On
croise une jeune femme qui peaufine son bronzage sur un banc,
un étudiant penché sur ses croquis, et même un crapaud qui se
prélasse sur un rocher. Voilà un endroit où il fait bon flâner, avec
un livre ou le journal du jour. On aura la délicieuse impression
d'avoir quitté la capitale pour un moment. Bon à savoir : sur le
site Internet, vous pouvez, avant votre visite, télécharger parcours et jeu de piste à effectuer dans le Jardin alpin. Parfait si
vous accompagnez des enfants!

Arpentez le plus beau
des cabinets de curiosités
DEYROLLE

46, rue du Bac, 7ᵉ • Mᵒ Rue-du-Bac
Tél. 01 42 22 30 07 • www.deyrolle.com
Ouvert le lundi de 10h à 13h et de 14h à 19h, du mardi au samedi de 10h à 19h

La maison Deyrolle fut fondée en 1831 par Jean-Baptiste Deyrolle, auquel son fils Achille a rapidement succédé. La vocation
de ce lieu unique en Europe est avant tout pédagogique. Il possède d'incroyables collections d'insectes, de coquillages, de mi-
néraux et d'animaux naturalisés. Des artistes comme Bernard

Buffet ou Salvador Dalí comptent parmi ceux qui, en leur temps, fréquentèrent la boutique. En février 2008, coup dur pour la prestigieuse maison : un incendie ravage le premier étage, détruisant les plus anciennes collections. Grâce à des dons et aux fruits d'une vente aux enchères, Deyrolle, après avoir reconstitué l'ensemble du décor, a pu rouvrir ses portes au public en septembre 2009. Amateurs de chasse aux papillons et collectionneurs de fossiles trouveront ici tout le matériel nécessaire pour assouvir leur passion, tandis que les simples curieux se presseront devant les vitrines d'œufs d'autruche ou de coraux, le plus impressionnant restant tout de même les animaux naturalisés, plus vrais que nature ! Un voyage hors du temps et de toute réalité.

Virée exotique
JARDIN D'AGRONOMIE TROPICALE
45, avenue de la Belle-Gabrielle, 12e • RER Nogent-sur-Marne
Ouvert tous les jours de 9h30 à 17h, 18h, 19h ou 20h selon la saison

Si l'on franchit la porte – chinoise – du Jardin d'agronomie tropicale un dimanche en plein été, on est d'abord surpris par le tout petit nombre de visiteurs. Les allées désertes donnent le sentiment de se promener dans un lieu clandestin. La Ville de Paris, qui a racheté le jardin en 2003, s'est contentée pour l'instant de sécuriser les lieux, restés fermés au public jusqu'en 2006. En attendant que le projet de restauration voie le jour, on peut observer les pavillons délabrés, vestiges de l'Exposition coloniale de 1907. Seuls quelques-uns d'entre eux, comme le Temple du souvenir indochinois, sont en bon état, mais le lieu reste dépaysant. Les grandes pelouses ombragées sont bien agréables en cas de grosse chaleur, mais attention : les pique-niques sont interdits !

Sieste sous des arbres d'ici et d'ailleurs

ARBORETUM DU BOIS DE VINCENNES

Route de la Pyramide, 12e • RER Joinville-le-Pont
Ouvert tous les jours de 9h30 à 17h d'octobre à février,
jusqu'à 18h30 en mars, jusqu'à 20h d'avril à septembre • Entrée libre

L'Arboretum de l'École du Breuil fait partie, avec Bagatelle, les Serres d'Auteuil et le Parc Floral, du Jardin botanique de la Ville de Paris. Il s'étend sur 12 hectares et abrite plus de 1 300 arbres, représentant plus de 500 variétés. Par un beau dimanche ensoleillé, on est heureux, après les traditionnels embouteillages à l'entrée du bois, de trouver ce jardin presque désert. Pourtant, ses vastes allées ombragées bordées de saules, de peupliers, de chênes et de tilleuls sont un havre de paix. Les novices peuvent identifier les arbres grâce aux étiquettes appliquées sur les troncs. Chaque arbre est un voyage : dans les parcs nationaux des États-Unis avec les séquoias, ou au cœur des grands espaces canadiens avec les érables. Attention à ne pas rater le merveilleux coin des lilas et ses 300 variétés. La faune est également très présente : avec un peu de chance, on pourra repérer une fouine, un écureuil ou un crapaud accoucheur. Lors de la Fête des jardins en septembre ou pendant les portes ouvertes en mai, il est possible d'accéder au Verger patrimonial, qui compte plus de 400 variétés de pommes et de poires. L'Arboretum est le lieu idéal pour les passionnés d'arboriculture, mais aussi pour tous les Parisiens en quête de calme et d'oxygène.

Voyagez aux quatre coins de la Terre

JARDIN DES SERRES D'AUTEUIL

3, avenue de la Porte-d'Auteuil, 16e • Mo Porte-d'Auteuil
Ouvert de 10h à 17h en hiver, jusqu'à 18h en été

Lorsqu'on arrive à l'entrée du parc, il semble difficile de se laisser séduire par ce lieu situé à deux pas du périphérique. Pourtant, dès que l'on s'approche des serres, on est séduit par leur architecture de la fin du XIXe siècle. Et, lorsqu'on y pénètre, on se sent immédiatement ailleurs… La chaleur, d'abord, parfois presque étouffante, donne l'impression d'avoir été téléporté sous les tropiques. On s'attarde un moment dans la serre consacrée au Sahel. Sol recouvert de sable, chaleur sèche : pas de doute, on est en Afrique. La pédagogie n'est pas en reste grâce aux panneaux, disséminés un peu partout, expliquant la provenance des différentes plantes, leur usage… Paradis des amateurs de botanique et d'horticulture, avec ses arbres remarquables et ses splendides collections de plantes rares, le jardin compte 6 000 végétaux regroupés en collections thématiques (succulentes, plantes de Nouvelle-Calédonie…) ou systématiques (palmiers, ficus, bégonias, fougères…). Comble du luxe, il n'y a pas grand-monde, même le dimanche, et l'on peut flâner dans les allées en toute liberté. En quelques minutes, oubliés le périph et les voitures, on est déjà loin, très loin de Paris. Bon à savoir : tous les ans depuis 2000, le festival Les Solistes fait venir la musique jusqu'aux Serres d'Auteuil.

PARTAGEZ VOTRE JARDIN !

Il existe à Paris de plus en plus de jardins partagés. Le concept est simple : mettre à la disposition de ceux qui le souhaitent une parcelle de terre où faire pousser fleurs, fruits ou légumes. Idéal pour ceux qui aiment jardiner mais n'ont ni balcon ni terrasse. Et si l'on n'a pas la main verte, on peut simplement s'y promener – attention aux horaires d'ouverture, qui varient d'un lieu à l'autre. Bon nombre de ces petits jardins proposent également des activités ouvertes à tous. Par exemple, celui situé à l'angle des rues Trousseau et Charles-Delescluze, dans le 11e arrondissement, organise régulièrement des soirées conviviales, soupes de légumes du jardin en hiver, pique-niques en été. Parfait pour rencontrer les habitants du quartier ! S'il y a un terrain en friche près de chez vous et que vous avez envie de vous lancer dans la création d'un jardin partagé, adressez-vous à la Maison du Jardinage.

→ **Maison du Jardinage**
Parc de Bercy
41, rue Paul-Belmondo, 12e • Mo Bercy ou Cour-Saint-Émilion
www.paris.fr, rubrique "Paris Loisirs" > "Paris au vert"

Parenthèse enchantée au pays du Matin calme
JARDIN DE SÉOUL

Jardin d'Acclimatation

Avenue du Mahatma-Gandhi, 16ᵉ • Mᵒ Les Sablons

Tél. 01 40 67 90 85 • www.jardindacclimatation.fr

Ouvert tous les jours de 10h à 18h d'octobre à mars, jusqu'à 19h d'avril à septembre

Entrée : 2,90 €

Si vous avez emmené vos enfants au Jardin d'Acclimatation un week-end et que vous avez soudain envie de prendre vos distances avec la foule, le Jardin de Séoul est le lieu rêvé. Inauguré en mars 2002, ce jardin, cadeau de la Ville de Séoul à Paris, symbolise l'amitié qui unit les deux capitales. Il a été entièrement réalisé par des artisans coréens, avec des matériaux venus du pays du Matin calme. Au-delà de la Porte du Paradis, on est séduit par l'harmonie des formes et des couleurs. On apprécie particulièrement la Porte de l'Éternité, qui promet la longévité à celui qui la franchit, le bassin de purification en granit et le pavillon traditionnel, richement décoré. En se promenant, malgré la rumeur des manèges voisins et les cris des enfants, on est ailleurs. Personne ou presque ne semble avoir eu la curiosité de venir jusque-là, seule une jeune femme dessine dans un coin… Un lieu ponctué de symboles, propice à la rêverie. Une véritable parenthèse enchantée.

Pêchez aux Buttes-Chaumont
CLUB DES BONS AMIS DES BUTTES

20, rue Édouard-Pailleron, 19ᵉ • Mᵒ Bolivar

Tél. 01 74 64 99 54

Permis délivrés le samedi de 10h à 11h20

La journée : 15 €

Pour pêcher à la coule, pas besoin d'être en vacances au bord de la mer ou à proximité d'une rivière : il est possible de pratiquer cette activité sans quitter Paris, même si l'on ne fréquente pas les bords de Seine. L'étang des Buttes-Chaumont – 1,5 ha de superficie pour 80 cm de profondeur environ – regorge en effet de trésors. Gardons, perches, goujons, la prise peut être très intéressante! Le cadre bucolique du jardin, propice à la rêverie, rend quant à lui l'expérience vraiment charmante. Bien sûr, il faut être titulaire des autorisations nécessaires: le Club des bons amis des Buttes délivre des permis à l'année, des permis découverte pour les enfants et des permis journaliers, pratiques quand on veut s'initier.

POUR OBSERVER LES OISEAUX

Non, il n'y a pas que des pigeons et des moineaux à Paris! Que l'on soit passionné d'ornithologie ou simplement curieux, il existe plusieurs façons de découvrir la multitude d'oiseaux qui peuplent la capitale.

Si l'on a déjà quelques connaissances, on peut opter pour l'un des deux observatoires de la Ville de Paris. L'un se trouve dans le bois de Vincennes, l'autre, dans le bois de Boulogne. On peut y observer en toute discrétion des espèces comme le bouvreuil pivoine ou la fauvette grisette.

Si l'on préfère être guidé, on peut s'inscrire aux visites organisées par la Ville de Paris. On y découvrira par exemple les oiseaux du bois de Vincennes, ou ceux qui ont élu domicile dans les jardins publics.

Le Corif propose également un large éventail de balades. En adhérant à l'association, on a accès à toutes les sorties: découverte ornithologique expresse au Jardin des Plantes, observation de l'avifaune au cimetière du Père-Lachaise, écoute du chant des oiseaux au bois de Vincennes...

→ **Observatoire du bois de Vincennes**
Allée Royale, 12ᵉ • Mᵒ Château-de-Vincennes

→ **Observatoire du bois de Boulogne**
Carrefour Longchamp, 16ᵉ • Bus 244

→ **Visites de la Ville de Paris**
www.paris.fr, rubrique "Paris Loisirs" > "Paris au vert"

→ **Corif (Centre ornithologique Ile-de-France)**
Parc forestier de la Poudrerie
Allée Eugène-Burlot • 93410 Vaujours
Tél. 01 48 60 13 00 • www.corif.net
Adhésion: à partir de 25€

Activités nature de 7 à 77 ans

NATURE & DÉCOUVERTES

www.natureetdecouvertes.com

Promenade de 2h : 15 € environ (tarif réduit pour les enfants)

Nature & Découvertes propose un large catalogue d'activités ouvertes à tous. Une bonne façon de se mettre au vert ! Les photographes en herbe opteront pour la confection d'un herbier numérique dans le bois de Vincennes, ce qui leur permettra d'apprendre à reconnaître fleurs et plantes et à les prendre en photo. Les amateurs de sensations fortes feront une randonnée en canoë sur le canal de l'Ourcq, tandis que les plus curieux découvriront le grand-bi, ancêtre de la bicyclette, le temps d'une balade. Les sportifs, enfin, pourront s'essayer à une nouvelle façon de faire de l'exercice grâce à la marche nordique. Calendrier et réservations sur le site Internet. Bon à savoir : l'adhésion au club Nature & Découvertes (6 € pour 3 ans) donne accès à des tarifs préférentiels très intéressants. Une balade à 15 € passe par exemple à 5,50 €. Ce serait dommage de s'en priver !

Marchez sur les traces d'une rivière disparue

ASSOCIATION LA MARCHE DE LA BIÈVRE

24, résidence Courdimanche • 91940 Les Ulis

Tél. 01 64 46 32 88 • www.marche.bievre.org

De 7 à 11 € selon la marche choisie

Depuis presque trente ans est organisée chaque printemps une marche reliant Notre-Dame aux sources de la Bièvre, à Jouy-en-Josas. Selon sa forme et son niveau d'entraînement, on peut opter pour la randonnée dans sa totalité, la Marche à la Lune, dont le départ est fixé à minuit devant Notre-Dame et qui fait une cinquantaine de kilomètres, ou bien la rejoindre en cours de route pour la Marche à l'Aurore ou au Soleil. L'arrivée est pré-

vue à Jouy-en-Josas entre 7h et 13h, selon la vitesse du participant. Attention : pour participer à la Marche de la Bièvre, il faut
être en bonne condition physique et s'être activement préparé.
Côté équipement, chaussures de marche, torche électrique et
vêtements réfléchissants sont de rigueur. Des points de ravi-
taillement sont disposés tout au long du parcours balisé. Après
être passé devant les Arènes de Lutèce, l'église Saint-Médard ou
la Manufacture des Gobelins, on est surpris de se retrouver en
pleine forêt. Cette randonnée, qui offre une vision nouvelle de
Paris et de ses environs, remporte un franc succès. En 2009, malgré le mauvais temps, elle a attiré plus de 900 participants, dont
le doyen avait 83 ans !

7

Lieux cultes

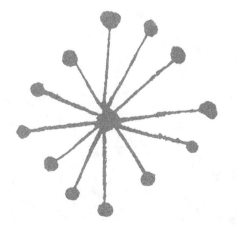

Comme dans les Mille et Une Nuits
GRANDE MOSQUÉE DE PARIS

2 bis, place du Puits-de-l'Ermite, 5e • Mo Place-Monge ou Censier-Daubenton
Tél. 01 45 35 97 33 • www.mosquee-de-paris.org
Visite tous les jours sauf le vendredi, de 9h à 12h et de 14h à 18h
Entrée : 3 € • Tarif réduit : 2 €

Si l'on est dans le coin de la Grande Mosquée un vendredi, on ne peut malheureusement pas y entrer, mais on aura au moins l'impression d'être passé, en deux temps, trois mouvements, du cossu 5e arrondissement à une grande ville d'Afrique du Nord. Alors que des femmes discutent, assises sur le trottoir, la foule se presse pour la prière hebdomadaire. Pour la visite, il faudra revenir un autre jour, et de préférence une matinée ensoleillée : il n'y aura alors pas un chat et l'on pourra découvrir la mosquée en toute liberté. La salle des prières et celles des ablutions sont interdites aux visiteurs, mais les instructions concernant ces rites aident à mieux comprendre la religion musulmane. Le mieux est de prendre le temps de se promener dans les jardins, entre palmiers et glycines. En sortant, halte obligatoire au salon de thé, où l'on dégustera un délicieux thé à la menthe (2 €). De savoureuses pâtisseries et des crêpes aux légumes combleront les petits creux. Si l'on veut rapporter un petit quelque chose de ce voyage, on passera par la boutique, façon souk, qui vend babouches, lampes marocaines et narguilés.

Sainte Catherine, priez pour nous !
CHAPELLE NOTRE-DAME
DE LA MÉDAILLE MIRACULEUSE

140, rue du Bac, 7e • Mo Sèvres-Babylone ou Vaneau
www.chapellenotredamedelamedaillemiraculeuse.com
Ouvert tous les jours de 7h45 à 13h et de 14h30 à 19h, le mardi de 7h45 à 19h

En 1830, la Vierge serait apparue à sainte Catherine Labouré et lui aurait demandé de faire frapper une médaille à son effigie, qui protégerait ceux qui la porteraient. Deux ans plus tard, alors qu'une épidémie de choléra faisait des ravages dans la capitale, certains auraient été épargnés grâce à ladite médaille. L'engouement fut aussitôt immense, et la chapelle devint vite un lieu de pèlerinage. Aujourd'hui encore, le lieu attire les foules. Il est à peine 14h30 et, devant la porte cochère du 140, rue du Bac, se forme déjà un attroupement. Lorsque la porte s'ouvre enfin, tout ce petit monde venu des quatre coins de la planète se presse pour entrer. La chapelle est située au bout d'un passage pavé, tout au long duquel on peut lire des plaques de remerciement dédiées à la Vierge. Lorsque l'on pénètre dans la chapelle, on est frappé par la luminosité du lieu et par la ferveur qui y règne. Les gens s'agenouillent devant la statue de Marie qui trône au centre de l'autel, puis s'installent en retrait pour prier. L'atmosphère est très particulière, et très différente de celle des autres églises. Selon ses propres croyances, on sera vraiment touché ou seulement intrigué par cette assemblée de touristes étrangers, de jeunes femmes sortant du Bon Marché, de personnes âgées, de religieuses... Si l'on a envie de croire aux miracles, un détour par la boutique s'impose, pour tester à son tour les vertus de la célèbre médaille !

Messe moscovite
CATHÉDRALE SAINT-ALEXANDRE-NEVSKI

12, rue Daru, 8e • M° Ternes ou Courcelles
Visites mardi, vendredi et dimanche de 15h à 17h
Messe tous les dimanches à 10h30

De nombreux Russes orthodoxes s'installèrent à Paris dès le XVIIIe siècle, et la cathédrale Saint-Alexandre-Nevski, consacrée en septembre 1861, fut construite grâce aux souscriptions des fidèles, ainsi qu'à des dons comme celui du tsar Alexandre II. Classée monument historique en 1983, elle est aujourd'hui encore le point de rencontre des orthodoxes russes de Paris. Si l'on veut s'imprégner de l'atmosphère très particulière qui y règne, le mieux est de venir assister à une messe ou de s'y rendre un jour de fête. Le dimanche de Pâques, par exemple, l'église est remplie d'œufs en bois peints de toutes les couleurs. On prend alors toute la mesure de la ferveur des Russes pratiquants. L'extérieur de la cathédrale, de style byzantin, ainsi que l'intérieur, orné de dorures chaleureuses et de nombreuses icônes, n'ont rien de commun avec les églises que l'on connaît. Pour la petite histoire, c'est ici que Pablo Picasso a épousé la danseuse russe Olga Khokhlova en 1918.

Pagode et temple bouddhiste au bois
CENTRE BOUDDHIQUE KAGYU-DZONG

40, route de la Ceinture-du-Lac-Daumesnil, 12ᵉ • Mᵒ Porte-Dorée ou Liberté
Tél. 01 40 04 98 06 • www.kagyu-dzong.org
Ouvert du mardi au dimanche
Enseignement de la spiritualité bouddhiste le mercredi à 19h30
Séances de méditation du mardi au dimanche de 9h30 à 18h

Quand on se promène sur les rives du lac Daumesnil, au bois de Vincennes, on n'imagine pas se trouver tout près d'un centre bouddhique tibétain. C'est pourtant à quelques mètres de là, au sein de pavillons construits pour l'Exposition coloniale de 1931, qu'a pris place, en 1985, le centre Kagyu-Dzong. Le temple fut bâti selon les instructions du maître spirituel Kalou Rinpoché, dans le respect de la symbolique sacrée : sa superficie de 108 m² symbolise les 108 graines du *mala*, le chapelet bouddhique ; les marches du porche évoquent les quatre "Attentions Parfaites" ; les piliers sont les quatre "Nobles Vérités" ; la porte d'entrée donne accès au "Chemin de la libération" ; les trois niveaux correspondent aux trois corps de l'Éveil... Pour un décodage complet, inscrivez-vous aux visites-conférences ! On trouve ici un jardin charmant, ainsi que plusieurs bâtiments. La pagode principale, qui abrite un bouddha recouvert d'or, le plus haut d'Europe, n'est pas toujours accessible (téléphoner avant de se déplacer), mais il reste possible d'accéder au petit temple tibétain. Chaque jour s'y déroulent des séances de méditation, et des enseignements y sont dispensés (programme détaillé sur le site Internet). Après avoir enlevé ses chaussures, on pénètre dans le temple pour se voir proposer une tasse de thé...

Méditation en sous-sol
CENTRE TEOCHEW DE MÉDITATION BOUDDHIQUE

Terrasse des Olympiades, 13e • Mo Olympiades ou Porte-d'Ivry

Accès par le 44, avenue d'Ivry

Tél. 01 45 82 06 01

Ouvert tous les jours de 9h à 12h et de 14h à 18h

Dans les années 1970, des milliers de Chinois originaires de la province du Guangdong, les Teochew, arrivent en France. En 1985, ils créent ce centre de méditation bouddhique. Tout le monde peut y entrer – à condition, bien sûr, de respecter le recueillement des personnes présentes. Le centre comprend tout d'abord une salle où se réunissent les habitants du quartier pour boire un thé, lire le journal ou simplement discuter, puis l'on pénètre dans le temple après avoir enlevé ses chaussures. Un autel y est dressé, sur trois niveaux, selon les traditions bouddhiques. Le gardien vend à qui le souhaite une petite brochure expliquant la signification des statues qui ornent cette salle de prière. Pratiquant ou non, on apprécie la lumière et les couleurs de ce lieu propice à la méditation.

Une retraite spirituelle en plein Paris
MONASTÈRE DE LA VISITATION

68, avenue Denfert-Rochereau, 14e • RER Port-Royal

Tél. 01 43 27 12 90

ÉPHREM

35, rue du Chevalier-de-la-Barre, 18e • Mo Anvers

Tél. 01 53 41 89 09 • www.sacre-coeur-montmartre.com

Effectuer une retraite peut être bénéfique pour quiconque ressent le besoin de s'interroger sur le sens de la vie, de faire le point sur son existence ou plus simplement de se couper du quotidien. Plusieurs lieux parisiens accueillent ceux qui en font la demande. Le monastère de la Visitation n'est accessible qu'aux femmes, lesquelles doivent se soumettre à la loi du silence et de la clôture. Si elles le souhaitent, elles peuvent participer aux exercices de la vie monastique. Dans un autre esprit, l'Éphrem, maison d'accueil et de retraites spirituelles de la basilique du Sacré-Cœur de Montmartre, accueille "tous ceux qui, seuls, en famille ou en groupe, effectuent une démarche de prière, de pèlerinage, ou qui veulent se joindre à l'adoration eucharistique, aux célébrations liturgiques, même de nuit". Ici, on peut non seulement prendre ses repas sur place, en silence, mais aussi dormir, en dortoir ou en chambre individuelle, moyennant une participation aux frais de séjour (compter environ 30 € par jour au monastère de la Visitation). Pour les deux lieux, réserver au moins une semaine à l'avance.

Au royaume de Bouddha
PANTHÉON BOUDDHIQUE

19, avenue d'Iéna, 16ᵉ • Mᵒ Iéna
Tél. 01 40 73 88 00 • www.guimet.fr
Ouvert tous les jours sauf le mardi, de 9h45 à 17h45 (téléphoner avant de se déplacer)
Entrée libre

Annexe de son voisin le musée Guimet, le Panthéon bouddhique est un lieu méconnu, donc peu fréquenté, pour le plus grand bonheur de ceux qui s'y aventurent. On commence par admirer les 250 œuvres japonaises réunies par Émile Guimet. Bouddhas en bois, divinités indiennes et statuettes représentant les grands maîtres spirituels, la collection est très riche, que viennent compléter quelques œuvres de la Chine bouddhique. Même si l'on ne connaît pas bien le bouddhisme, on est vite fasciné par le sourire serein des statues de toutes tailles et de toutes provenances. Mais le plus surprenant reste le jardin japonais, à l'arrière du bâtiment. Un pavillon de thé, offert au musée par des mécènes japonais, y a été installé en 2001, pour le centenaire du Panthéon. La première fois, on a l'impression de pénétrer dans un lieu secret, tant le calme qui y règne est parfait. Il faut y passer du temps, s'asseoir sur un banc pour lire, écrire, dessiner au milieu des bambous, près du petit cours d'eau. Le jardin respire le bien-être et peut vite devenir une source d'inspiration. Ceux qui cherchent plus qu'une parenthèse zen pourront assister à l'une des cérémonies du thé et de l'encens régulièrement organisées dans le pavillon (12 €), pour s'initier à l'art de vivre japonais (réservations : 01 56 52 53 45). Merveilleux !

Heure hindoue

TEMPLE HINDOUISTE
SRI MANIKA VINAYAKAR ALAYAM

17, rue Pajol, 18e • Mo La Chapelle ou Marx-Dormoy
Tél. 01 40 34 21 89 • www.templeganesh.fr
Ouvert tous les jours de 9h30 à 20h30

On peut facilement passer devant ce temple sans le remarquer. Seuls indices : les chaussures déposées sur le pas de la porte. Ici, il est possible de déambuler à sa guise, paisiblement, d'observer les fidèles venus apporter des offrandes et se recueillir. Le temple, très coloré, est consacré à Ganesh, dieu au corps d'enfant et à la tête d'éléphant, fils de Shiva et de Parvati, très populaire en Inde. Mais le meilleur moyen d'en savoir plus est d'assister à une cérémonie : chaque jour, à 10h, 12h et 19h, sont célébrés des *pujâs*, cérémonies d'adoration rituelle, et le week-end ont lieu les Abhishekam, bains sacrés offerts aux divinités. On ne comprend pas tout, bien sûr, mais la gentillesse des hôtes est telle que l'on se sent à sa place. À noter : le site Internet propose un glossaire très complet, idéal pour se familiariser avec les rituels et les divinités. Si l'on couple cette visite à une balade le long de la rue du Faubourg-Saint-Denis (voir p. 78), on pourra presque se vanter de connaître l'Inde pour de vrai !

FÊTEZ GANESH!

Chaque année, fin août ou en septembre, les hindous se rassemblent pour célébrer Ganesh, ce dieu si populaire. Dès 9h débutent les cérémonies religieuses, au temple de la rue Pajol. Le cortège en part à 11h pour circuler jusqu'à 15h. Une foule incroyable défile alors, accompagnée par des joueurs de flûte et de tambour, et par des danseuses portant sur la tête des pots dans lesquels brûle du camphre. Tout au long du parcours, on brise des noix de coco pour symboliser l'offrande de son cœur à Ganesh. Fleurs et guirlandes complètent le tableau. Émerveillé par tant de parfums et de couleurs, on est complètement dépaysé. Et l'on sait déjà que l'on reviendra l'année suivante! *www.templeganesh.fr*

Ferveur créole
ÉGLISE SAINT-GEORGES DE LA VILLETTE

112-114, avenue Simon-Bolivar, 19e • M° Bolivar ou Colonel-Fabien
Tél. 01 42 39 61 80 • Messe tous les dimanches à 17h

Cette paroisse du 19e arrondissement, à deux pas des Buttes-Chaumont, accueille la communauté haïtienne tous les dimanches après-midi pour une messe en créole. Lorsque l'on pénètre dans l'église, on constate vite que l'on est la seule personne blanche, mais nul ne semble le remarquer! Petites filles en robe blanche, femmes à hauts talons, hommes en costume, l'église est presque pleine. Si la cérémonie se déroule selon les mêmes rituels qu'une messe "traditionnelle" – lecture des évangiles, sermon... –, l'atmosphère, elle, est très différente. À 17h précises, près de l'autel, les musiciens commencent à jouer et une femme à chanter, rythmant gaiement l'office. Lorsque le prêtre fait son sermon, en créole bien sûr, il s'adresse d'une façon très directe à l'assemblée, toujours avec le sourire, et ponctue son discours de chants. Même si l'on ne saisit pas le sens de toutes ses paroles, on se laisse porter par la ferveur qui anime les fidèles, en songeant que, si toutes les messes étaient aussi chaleureuses, de nombreux catholiques réinvestiraient sans doute les églises!

8

Voyage, voyage...

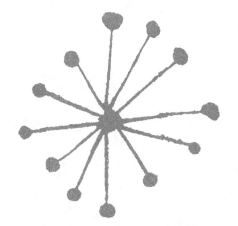

Un soir, la tête dans les étoiles

OBSERVATOIRE DE LA SORBONNE

17, rue de la Sorbonne, 5ᵉ • Mᵒ Cluny-La Sorbonne ou Odéon
Tél. 01 42 24 13 74 (Société astronomique de France)
Lundi et vendredi à 21h, en fonction de la météo
Entrée : 5 €

Rendez-vous à 21h devant la Sorbonne, où un astronome de
la Société astronomique de France vous attend pour visiter
l'observatoire de la célèbre université. La visite commence par
le bâtiment lui-même, quelques rappels historiques à l'appui.
Après un voyage en ascenseur et un escalier en colimaçon, vous
voici dans la coupole. La salle, tout en bois, abrite une grande et
belle lunette. L'été, comme il fait encore jour, l'animateur propo-
sera de faire un tour sur le balcon circulaire. La vue à 360 degrés
est magnifique. Nous découvrons les bâtiments tout proches,
Panthéon, lycée Louis-le-Grand ou église Saint-Sulpice, sous un
jour nouveau. Et lorsqu'à 22h la tour Eiffel se met à clignoter,
le tableau est idyllique ! Dès que l'obscurité le permet, retour
dans la coupole pour préparer l'observation. Tout le mécanisme
est manuel : on ouvre d'abord une fente dans la toiture, puis on
oriente la coupole, qui tourne dans la direction souhaitée. Malheureusement, les nuages ont envahi le ciel parisien et seules
quelques étoiles sont visibles. Pour la Lune, Jupiter ou Saturne, il
faudra se réinscrire... Il est 23h30, nous quittons les couloirs dé-
serts de l'université, très heureux de notre voyage interstellaire.

Séance de cinéxotique
CINÉMA LA PAGODE

57, rue de Babylone, 7ᵉ • Mᵒ Saint-François-Xavier ou Sèvres-Babylone
Tél. 01 45 55 48 48 • www.etoile-cinema.com/salle-info/pagode

À la fin du XIXᵉ siècle, François-Émile Morin, directeur du Bon Marché, décide d'offrir à sa femme une authentique pagode japonaise. Après avoir été un lieu de réception très prisé, la Pagode devient en 1931 le premier cinéma de l'arrondissement, dont seule la plus grande des deux salles, de style japonais, vaut vraiment le détour. Le mieux est d'arriver un peu avant la séance, afin de découvrir le ravissant jardin attenant. Puis, une fois confortablement installé, le voyage commence, avant même que la lumière s'éteigne. On admire les peintures qui ornent murs et plafonds, en profitant de l'atmosphère peu commune qui règne dans la salle. De nombreux festivals y sont régulièrement organisés.

Star avant tout !
PLANÉTARIUM DU PALAIS DE LA DÉCOUVERTE

Avenue Franklin-D.-Roosevelt, 8ᵉ • Mᵒ Champs-Élysées-Clemenceau
Tél. 01 56 43 20 20 • www.palais-decouverte.fr
Ouvert du mardi au dimanche de 9h30 à 18h (horaires par téléphone ou sur le site Internet)
Musée + Planétarium : 10,50 € • Tarif réduit : 8 €
Accès interdit aux moins de 6 ans

Le Planétarium du Palais de la découverte, créé en 1937 et installé au sein du musée depuis 1952, est le premier planétarium français. Sa coupole de 15 m de diamètre permet d'observer les phénomènes célestes depuis n'importe quel point de la Terre, à toute époque, passée, présente ou future. Chaque séance est animée par un conférencier, qui commence par montrer le ciel du jour, tel qu'on pourrait l'observer le soir venu si toutes les conditions idéales (météo favorable, absence de pollution lumineuse...) étaient réunies. La séance se poursuit, dans une obscurité propice à la rêverie, selon un thème choisi : le système solaire, l'étude de la Lune ou encore les étoiles et les galaxies, par exemple. Ce voyage dans l'espace est une excellente façon de s'initier à l'astronomie. On n'a plus qu'une envie : s'en aller observer le ciel pour de vrai (voir Observatoire de la Sorbonne, p.75). Bon à savoir : la Cité des sciences et de l'industrie possède elle aussi un planétarium, qui propose un véritable spectacle immersif (www.cite-sciences.fr).

Comme dans une famille arménienne
CANTINE DE LA MAISON
DE LA CULTURE ARMÉNIENNE

17, rue Bleue, 9e • M° Poissonnière ou Cadet
Tél. 01 48 24 63 89
Ouvert du lundi au samedi de 12h à 15h et de 18h30 à 23h
Plat + dessert : 12 € environ • Pas de carte Bleue

Voici un lieu impossible à découvrir si l'on n'en connaît pas l'existence : si vous venez dîner, pensez à demander le code par téléphone ! Dissimulée derrière une large porte cochère au fond d'une cour lumineuse, la Maison de la culture arménienne héberge un petit restaurant qui sert midi et soir une cuisine familiale aussi généreuse que délicieuse. Les grandes tables et le téléviseur allumé donnent au lieu un air de cantine bien agréable. Arméniens fidèles ou habitués du quartier, la salle est très vite remplie. Aux commandes, Tchinar et Mamikon, un couple très chaleureux qui prend un véritable plaisir à faire goûter la cuisine de son pays. On pourra opter pour le plat du jour – aubergine farcie avec blé et salade, par exemple – ou une grillade – brochettes de poulet, entre autres. Quand on voit notre plat arriver, on peut craindre d'avoir eu les yeux plus gros que le ventre, mais, dès la première bouchée, on sait que l'on ne se fera pas prier pour finir notre assiette ! Et ceux qui auraient encore un petit creux seront comblés par le yaourt au miel délicieusement crémeux.

Cap sur les Indes
QUARTIER DE LA CHAPELLE

Rue du Faubourg-Saint-Denis, 10ᵉ • Mᵒ Gare-du-Nord ou La Chapelle

Quand on a subitement envie d'un bon curry ou d'un joli sari, on a tendance à se rendre passage Brady. Pourtant, le haut de la rue du Faubourg-Saint-Denis, entre la gare du Nord et le théâtre des Bouffes-du-Nord, est bien plus authentique. Alors, laissons aux touristes les restaurants du passage Brady et venons écouter ici battre le cœur du quartier indien. Entre les femmes de tous âges qui font leurs emplettes et les hommes qui discutent sur les pas-de-porte, on pourrait facilement, à condition de faire abstraction des immeubles haussmanniens et des plaques d'immatriculation, se croire dans une rue de New Delhi. Côté boutiques, on a l'embarras du choix, les plus tentantes étant sans doute celles qui vendent des saris aux couleurs chatoyantes. Les bijouteries clinquantes sont elles aussi très séduisantes, surtout pour qui aime la pacotille ! Si vous êtes indécis, n'hésitez pas à franchir la porte des bazars, qui regorgent de trésors – statuettes de Ganesh, sachets de henné, bindis… Les amoureux du cinéma bollywoodien, quant à eux, passeront des heures dans les magasins de DVD. Prendre soin de soi est également possible, puisque coiffeurs et esthéticiennes proposent leurs services à des prix défiant toute concurrence. Enfin, les amateurs de gastronomie indienne ne seront pas en reste grâce aux nombreuses boucheries, poissonneries et épiceries. Ah ! les parfums enivrants des herbes aromatiques… Si l'on a un petit creux, on achètera dans de petits snacks des samossas à la viande ou aux légumes. La rue du Faubourg-Saint-Denis offre donc, sur quelques dizaines de mètres, un véritable voyage. Mais, pour en profiter pleinement, mieux vaut y flâner sans compter son temps.

Escapade corse
ESPACE CYRNEA - LE VILLAGE CORSE

38, allée Vivaldi, 12ᵉ • Mᵒ Montgallet

Tél. 01 43 40 13 43 • http://levillagecorse.free.fr

Ouvert du mardi au samedi de 11h30 à 19h30 (nocturnes vendredi et samedi)

L'Espace Cyrnea, ouvert en 1994, est conçu comme un petit village corse. On y trouve tout d'abord un restaurant, qui sert sur
sa très agréable terrasse ombragée une cuisine aux saveurs du
maquis. L'épicerie, quant à elle, est parfaite pour se ravitailler en
coppa, lonzu, fromage de chèvre, de brebis, farine de châtaigne
et *canistrelli*. Les amateurs de vin, eux, seront comblés par les richesses de la cave. Et ceux que la Corse intéresse au-delà de son
patrimoine gastronomique pourront flâner un moment dans
l'espace librairie, idéal pour préparer ses prochaines vacances
ou le parcours du GR20, ou simplement pour se plonger dans la
culture de l'île. On y rencontre souvent des auteurs venus dédi-
cacer leurs ouvrages. Des expositions et des soirées thématiques
sont également organisées régulièrement.

Le tour du monde en 80 pavillons
CITÉ INTERNATIONALE UNIVERSITAIRE DE PARIS

17, boulevard Jourdain, 14ᵉ • Mᵒ Porte-d'Orléans ou RER Cité-Universitaire

Tél. 01 44 16 64 00 • www.ciup.fr

La Cité Universitaire, construite sur l'emplacement de la dernière enceinte militaire parisienne, accueille chaque année
10 000 étudiants, artistes et chercheurs de plus de 140 nationalités. Sur 37 hectares sont réparties une quarantaine de maisons.
Maison de l'Italie, du Japon ou du Liban, fondation danoise ou
argentine, le mieux est de se promener dans le parc – l'un des
plus vastes de Paris –, le nez au vent, pour les découvrir les unes
après les autres, et de s'amuser à deviner le pays qu'elles re-
présentent. L'architecture de la Maison internationale, lieu de
brassage des cultures, est directement inspirée du château de
Fontainebleau. Studio de répétition, théâtre, bibliothèque, les
lieux de culture ne manquent pas. La Cité Universitaire est un
endroit propice à l'évasion, dans tous les sens du terme.

US Sundays
JIM HAYNES

83, rue de la Tombe-Issoire, 14ᵉ • Mᵒ Alésia
Tél. 01 43 27 17 67 • www.jim-haynes.com
Tous les dimanches soir
Dîner : environ 20 € par personne

Depuis près de trente ans, Jim Haynes, écrivain américain, organise chez lui, tous les dimanches, des dîners ouverts à tous. Après avoir réservé, par téléphone ou sur le site Internet, on mange et boit pour une vingtaine d'euros. Surtout, on fait la connaissance de toutes sortes de personnalités. On pourra ainsi discuter art, philosophie ou littérature avec un libraire parisien, une étudiante russe, un universitaire indien... Le propriétaire des lieux s'assure régulièrement que personne ne reste seul dans son coin. Voilà donc la soirée idéale pour faire de nouvelles rencontres. Plusieurs couples se seraient même formés pendant l'un de ces dîners !

Plongée au cœur de l'Afrique
QUARTIER CHÂTEAU-ROUGE

Autour du métro Château-Rouge (rue Dejean, rue Poulet...), 18ᵉ
Mᵒ Château-Rouge
Marché du mardi au dimanche

En sortant du métro à la station Château-Rouge, on est immédiatement sollicité par des distributeurs de tracts vantant les mérites de tel marabout et par des vendeurs à la sauvette en tout genre. Nous voilà en Afrique, au milieu des boubous multicolores et des effluves entêtants. Difficile de se frayer un passage dans les rues bondées, le mieux est de se laisser guider par la foule. Les clients sont là pour faire leurs emplettes, mais aussi pour bavarder. Ils n'hésitent pas à traverser la ville pour retrouver l'ambiance du pays, prendre des nouvelles des uns et des autres, et l'on entend toutes sortes de dialectes. On trouve tout ce qu'il faut pour préparer les plats traditionnels africains : manioc, ignames, épices, crabes d'eau douce... Ici, les poissons ont des noms incroyables et les volailles sont vendues vivantes.

Bon à savoir: les arrivages de produits frais ont surtout lieu le mardi et le vendredi. Si l'on a peur de se lancer dans la cuisine africaine, on peut également faire le plein de disques, de produits de beauté, de teintures pour les cheveux ou de cassettes vidéo. Un seul mot d'ordre: marchander! Ainsi, les vendeurs, constatant que vous vous intéressez vraiment à leurs produits, seront ravis de vous faire un prix!

Cours de Qi Gong gratuits
PARC DES BUTTES-CHAUMONT

Entrée Botzaris, sur le terre-plein central, 19ᵉ • Mᵒ Botzaris
Tous les jours de 9h à 10h

CENTQUATRE

104, rue d'Aubervilliers, 19ᵉ • Mᵒ Crimée
Tél. 01 53 35 50 00 • www.104.fr
Samedi et dimanche à 11h

Le Qi Gong forme avec le tai-chi l'une des cinq branches de la médecine traditionnelle chinoise. Cette gymnastique des organes permet à ceux qui la pratiquent, grâce à des mouvements lents et à des exercices fondés sur la respiration et la concentration, de mieux connaître et maîtriser leur énergie vitale. Les Parisiens ont la chance de pouvoir pratiquer gratuitement le Qi Gong. Dans le parc des Buttes-Chaumont, c'est un maître vietnamien qui propose tous les matins, été comme hiver, des cours en plein air pour un bénéfice encore plus grand. Au CentQuatre, les cours ont lieu le week-end, grâce à un partenariat avec l'association Les Temps du Corps. On découvre une nouvelle façon de faire du sport, tout en douceur et en profondeur. Mais attention: pour en sentir les effets sur le long terme, rien ne vaut une pratique régulière!

FÊTEZ LE RAT OU LE COCHON!

Chaque année, en janvier ou février selon le calendrier lunaire, les Chinois fêtent la nouvelle année. Généralement, deux défilés sont organisés à une semaine d'intervalle. Lors du premier, dans le 3ᵉ arrondissement, dragons de papier, costumes traditionnels et pétards sont au rendez-vous. Le dimanche suivant, c'est au tour du Chinatown parisien, dans le 13ᵉ, de célébrer comme il se doit la nouvelle année. C'est ici que les spectateurs sont les plus nombreux. Les immeubles et les restaurants sont décorés pour l'occasion, et c'est au son des tambours et des gongs que la fête est à son comble. Un vrai voyage, à s'offrir au moins une fois dans sa vie!

www.eurasie.net

Un déjeuner à Bamako
FOYER BARA

18, rue Bara • 93100 Montreuil
Mº Robespierre
Tél. 01 48 59 06 21
Ouvert midi et soir

Il paraît que le foyer Bara est aussi connu au Mali que la tour Eiffel. Implanté dans une ancienne usine de pianos depuis plus de trente ans, ce foyer de travailleurs africains est ouvert à tous, véritable village où l'on vit comme au pays. On peut y venir prier, faire ses emplettes, et surtout déjeuner ou dîner. Différentes associations préparant les repas à tour de rôle, on peut goûter à des plats traditionnels pour une bouchée de pain. Saveurs et parfums inconnus nous envoûtent, le dépaysement est total. Certains soirs ont lieu des veillées animées par des griots, à ne rater sous aucun prétexte! Il ne faut pas hésiter à pousser la porte du foyer Bara: si l'on peut craindre de ne pas y être à sa place quand on arrive la première fois, cela ne dure jamais bien longtemps!

9

Faire des folies
de son corps

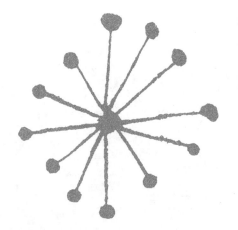

Dansez à la belle étoile
PARIS DANSES EN SEINE

Quai Saint-Bernard, 5ᵉ • Mᵒ Sully-Morland ou Jussieu
Tous les soirs d'été

Depuis des années, à la belle saison, des danseurs de tango argentin, de salsa ou encore de swing se réunissaient tous les soirs dans le square Tino-Rossi. Ces rassemblements restèrent informels jusqu'en 2009, date à laquelle l'association qui représente les danseurs, Paris Danses en Seine, a demandé des autorisations officielles. Pourtant, en 2010, les choses ne semblent pas si simples. Les demandes ont été déposées en bonne et due forme, mais l'association, aux dernières nouvelles, n'a toujours pas de réponse de la mairie. Serait-ce la fin de ces bals gratuits ? Pas vraiment, puisque, au milieu des groupes de jeunes gens venus pique-niquer, les aficionados continuent d'animer régulièrement les bords de Seine. Autour d'une petite chaîne hi-fi, les couples se forment. On trouve là des filles et des gars de toutes générations. Certains sont ici pour s'entraîner très sérieusement, tandis que d'autres songent seulement à s'amuser. Alors que la nuit tombe et que les bateaux-mouches éclairent les quais, un attroupement de badauds se forme autour des danseurs. Profitant encore quelques instants de cette ambiance de fête, on se dit que l'on a vraiment de la chance de vivre à Paris, et l'on espère vivement que les quais continueront d'accueillir les danseurs de longues années encore…

Swinguez joue contre joue
RÉTRO DANCING

22, rue du Faubourg-du-Temple, 10ᵉ • Mº République
Tél. 01 42 08 54 06 • www.retrodancing.fr
Du lundi au vendredi de 14h à 20h, le samedi de 14h à 21h, le dimanche
de 14h à 20h
Entrée : 5 € en semaine, 6 € le samedi, 7 € le dimanche

BALAJO

9, rue de Lappe, 11ᵉ • Mº Bastille
Tél. 01 47 00 07 87 • www.balajo.fr
Tous les dimanches de 15h à 19h • Entrée : 10 €

Une envie soudaine de bal musette ? Le Rétro Dancing organise tous les jours des thés dansants où sont programmés tango,
valse, rock ou zouk. Au Balajo, club mythique qui accueillit à ses
débuts Marlène Dietrich ou encore Arletty, ça swingue uniquement le dimanche après-midi ! Si la moyenne d'âge du public
à tendance à baisser, les danseurs ont tout de même entre 50
et 70 ans. La majorité d'entre eux, des habitués pour la plupart,
sont venus en couple et, pour l'occasion, ont revêtu leurs habits
du dimanche. Si l'on se laisse envoûter par l'atmosphère et par
la musique, on sera très vite transporté des années en arrière.
Après avoir admiré l'habileté et l'élégance de certains danseurs,
on n'a plus qu'une idée en tête : se lancer !

BIEN DANS SA TÊTE… AUSSI !

À vrai dire, quand on s'inscrit pour la première fois à une partie
de Tao, on ne sait pas trop ce qui nous attend. La soirée, qui
a lieu dans l'une des agréables cours de la rue du Faubourg-
Saint-Antoine, débute par une petite collation à partager : fromages, chips de légumes et fruits en tout genre accompagnés
de lait de soja ou d'une tisane à la fleur d'oranger. Une fois
que l'on est rassasié, la partie peut commencer. Ce soir-là, le
hasard veut que nous ne soyons que des femmes : neuf par-
ticipantes et deux animatrices. Nous constituons deux tables
– si l'on est venu accompagné, il est bien sûr possible de jouer

ensemble. L'animatrice explique le jeu dans ses grandes lignes, mais nous laisse en découvrir toutes les subtilités au fur et à mesure. Après avoir choisi l'une des six pierres posées au centre du plateau, celle qui fait le plus petit score au dé a l'honneur d'amorcer la partie. Elle doit alors formuler une quête, un souhait, toujours de façon positive, tandis que les autres l'aident à clarifier ses pensées. À la fin du tour de table, on sait que l'une est là pour vaincre sa peur de ne plus être aimée, l'autre pour enfin réussir à passer à l'action, la troisième pour sortir d'une histoire qui la fait souffrir, la quatrième pour parvenir à vivre plus sereinement. Ensuite, en déplaçant sa pierre sur le tapis, on se retrouve dans l'un des quatre éléments – terre, eau, feu ou air – et l'on doit tirer une carte qui lui correspond. On répond alors à une question, pendant trois minutes, toujours avec l'aide des autres participants, qui, une fois le temps écoulé, partagent leur ressenti. Après deux ou trois tours, la partie se termine, avec le tirage d'une "carte oracle" qui nous éclaire sur le présent et sur ce que nous pouvons en faire. Pour finir, nous prenons solennellement un engagement pour les jours à venir. Il est minuit, le temps a passé sans que l'on s'en rende compte. Chacune, à sa façon, a avancé, en découvrant notamment la façon dont les autres la perçoivent. Ni psychologie de bas étage, ni thérapie de groupe, le Tao est un jeu avant tout, mais le plus étonnant, tout de même, reste que les cartes de la fin ont toutes un rapport très fort avec la quête du début ! Nos problèmes ne se sont pas brusquement volatilisés, bien sûr, mais l'on sait mieux désormais dans quelle direction aller. Surtout, on a le sentiment profond d'avoir partagé et échangé, lors d'une bien belle soirée…

Tao Village
95, rue du Faubourg-Saint-Antoine, 11ᵉ • Mᵒ Ledru-Rollin
Tél. 01 44 75 80 00 • www.taovillage.com
Parties mercredi et vendredi à 19h30 • Participation libre

Louez une piscine grand luxe
L'HÔTEL

13, rue des Beaux-Arts, 6ᵉ • Mᵒ Saint-Germain-des-Prés
Tél. 01 44 41 99 00 • www.l-hotel.com
Formule "Eat & Treat": 260 € pour 2 personnes
Formule "Zen & Bubbles": à partir de 510 € pour 2 personnes

Barboter dans une piscine privée en plein Paris est un vrai luxe
qui coûte cher, soit, mais il est si bon de s'y adonner, par exemple
pour fêter une occasion très spéciale ou pour vivre un moment
privilégié en amoureux. Situé au cœur de Saint-Germain-des-
Prés, l'Hôtel propose deux formules conçues autour de la piscine. "Eat & Treat" est la plus abordable, qui comprend un déjeuner complet pour deux personnes, l'accès à la piscine pendant
1h et un massage de 30 min pour chacun. Si l'on a envie de s'installer un peu plus longtemps, le forfait "Zen & Bubbles" inclut
en outre une nuitée à l'hôtel. Vous trouvez ces formules séduisantes sur le papier ? Eh bien, elles le sont plus encore dans la
réalité ! Le mieux est d'opter pour un déjeuner aux beaux jours,
si possible en terrasse. Le temps s'étire, et l'on a la délicieuse impression de se retrouver dans une ville italienne. Les chambres,
quant à elles, sont toutes différentes, Jacques Garcia, qui en a re-
pensé la décoration, s'étant amusé à chiner du mobilier ancien
pour chacune. Et lorsque l'on aperçoit la piscine creusée sous la
voûte, on est immédiatement conquis. On voudrait y passer ses
journées… En somme, l'Hôtel est un établissement grand luxe,
mais au charme certain. Véritable havre de paix, c'est un lieu à
part, qui allie offres alléchantes et authenticité.

NAGEZ EN NOCTURNE

À Paris, il est possible de nager tard le soir tous les jours de la semaine, sauf le dimanche. Un bémol cependant : ceux qui restent dans la capitale pendant l'été ne peuvent malheureusement pas toujours profiter de ce petit plaisir, la plupart des piscines changeant leurs horaires en juillet-août. Mention spéciale à la piscine Pontoise, qui propose d'accéder, en plus du bassin, au sauna et à la salle de musculation et de cardio-training pour 10 €. Attention : dans toutes ces piscines, il faut arriver au plus tard 45 min avant la fermeture !

www.paris.fr, rubrique "Paris Loisirs" > "Sport" > "Piscines"

→ **Piscine Suzanne-Berlioux**
Porte Berger du Forum des Halles, 1er • M° Les Halles
Tél. 01 42 36 98 44
Lundi et mercredi jusqu'à 23h

→ **Piscine Pontoise**
17, rue de Pontoise, 5e • M° Maubert-Mutualité
Tél. 01 55 42 77 88
Lundi, mardi, mercredi et vendredi jusqu'à minuit

→ **Piscine Joséphine-Baker**
Quai François-Mauriac, 13e • M° Quai-de-la-Gare
Tél. 01 56 61 96 50
Mardi et jeudi jusqu'à minuit

→ **Piscine Pailleron**
32, rue Édouard-Pailleron, 19e • M° Bolivar
Tél. 01 40 40 27 70
Vendredi et samedi jusqu'à minuit

Tout nu, c'est mieux !
PISCINE ROGER-LE GALL

34, boulevard Carnot, 12ᵉ • Mᵒ Picpus ou Porte-Dorée
Tél. 01 40 30 48 29 • www.naturistes-paris.org
Ouvert lundi et mercredi de 21h à 23h, le vendredi de 21h30 à 23h30
Entrée : 7 €

La piscine Roger-Le Gall a la particularité de proposer de pratiquer en nocturne natation, aquagym et sport en salle… tout
nu ! Trois fois par semaine, la soirée est ouverte aux visiteurs
naturistes : tenues d'Adam et Ève obligatoires. Si, comme dans
toutes les piscines, le bonnet de bain est de rigueur, la serviette
de bain autour de la taille est quant à elle purement et simplement bannie. L'idée est de s'initier à une pratique, et non
de venir en curieux, d'autant que l'association insiste aussi sur
le fait que le naturisme appartient au domaine de la vie pu-
blique, tandis que la sexualité, elle, fait partie de la vie privée.
Autrement dit, le mélange des genres n'est pas recommandé !
Les invitations sont disponibles sur le site Internet. Si vous êtes
convaincu par votre première soirée, vous ne pourrez renouveler l'expérience qu'à deux reprises. Au-delà, il faut adhérer à
l'association, moyennant 60 € par an, puis 5 € l'entrée (réduc-
tions possibles). Voilà en tout cas une bien jolie façon de faire
du sport en toute simplicité…

Goûtez l'ivresse des profondeurs
ASSOCIATION SPORTIVE
DES HOMMES-GRENOUILLES DE PARIS

Piscine Georges-Hermant
6-10, rue David-d'Angers, 19ᵉ • Mᵒ Botzaris ou Danube
Tél. 09 50 30 93 30 • www.ashgp.fr
Baptême gratuit tous les mardis à 20h30

Pour ceux qui rêvent de découvrir les océans mais n'ont jamais
plongé, un baptême en piscine est un bon début. De nombreux
clubs offrent cette possibilité, mais l'Association sportive des
hommes-grenouilles de Paris propose de tenter gracieusement
l'expérience. De quoi convaincre les plus réticents ! Après avoir

prévenu par téléphone de sa venue, on se présente le jour dit, simplement muni d'un maillot de bain, d'un bonnet et d'une serviette : tout le matériel de plongée est disponible sur place, et il n'est pas nécessaire de fournir de certificat médical. L'ambiance est chaleureuse, on se sent très vite en confiance. Après s'être fait expliquer les règles de base, nous voilà au fond de la piscine avec un moniteur. Rapidement, on oublie ses peurs et l'on se laisse aller aux sensations qui nous envahissent. On découvre alors le plaisir de respirer sous l'eau et l'incroyable impression de liberté que procure la plongée. Après cela, les chances sont grandes de vouloir prolonger l'expérience – avant, qui sait, de partir plonger "pour de vrai" ?

La pelote basque, c'est chic !
TRINQUET CHIQUITO DE CAMBO

8, quai Saint-Exupéry, 16e • Mº Porte-de-Saint-Cloud
Tél. 01 42 88 94 99 • http://trinquetdeparis.free.fr
Réservations par téléphone

La pelote basque, qui en France se pratique surtout au Pays basque, dans les Landes ou en Gironde, regroupe en réalité plusieurs jeux. Pasaka, chistera ou rebot, certains obéissent à des règles plutôt complexes, tandis que d'autres sont accessibles à tous. Au fronton Chiquito de Cambo, pelotaris débutants ou chevronnés attendent avec impatience de pouvoir profiter de ce cadre exceptionnel aussi loin de Biarritz ! Le Trinquet de Paris organise également, tout au long de l'année, de grandes manifestations qui permettent de découvrir la pelote basque. Ici, la balle rebondit donc sans cesse, dans une ambiance conviviale digne des meilleurs coins du Sud-Ouest qui séduira les novices.

TU TIRES OU TU POINTES?

Ah! les parties de boules de nos vacances, le dimanche dans les villages de Provence… À Paris également, il est non seulement possible de regarder les joueurs de pétanque s'adonner à leur passion, mais aussi de participer. S'il existe une vingtaine de terrains municipaux, notre boulodrome préféré reste celui du Jardin du Luxembourg. Tous les après-midi, nombreux sont ceux qui y font une petite partie. Assis à l'ombre des platanes, on les observe tranquillement, souriant en entendant des "tu tires ou tu pointes?" lancés avec un bel accent! Si l'on a envie de jouer soi-même, il suffit d'adhérer à l'association sportive du Jardin du Luxembourg. On pourra même participer aux tournois organisés certains week-ends. Un petit pastis, et l'on s'y croirait!

→ **Boulodrome du Jardin du Luxembourg**
Entrée par la rue de Fleurus, 6ᵉ • Mᵒ Notre-Dame-des-Champs

→ **Boulodromes municipaux de Paris**
www.paris.fr, rubrique "Paris Loisirs" > "Sport" > "Pratique libre et gratuite"

10

Bars et restos
pas comme les autres

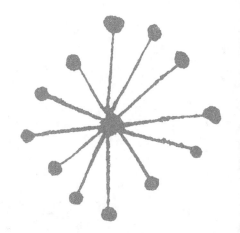

Retrouvez le goût des autres
DRÔLE D'ENDROIT POUR UNE RENCONTRE

58, rue Montorgueil, 2ᵉ • Mᵒ Les Halles ou Sentier

Tél. 01 42 36 36 43

Ouvert tous les jours (service jusqu'à 23h)

Rue Montorgueil, le restaurant-café Drôle d'endroit pour une rencontre n'a pas changé la recette qui a fait son succès : en dégustant une cuisine classique et généreuse (carpaccio, cheeseburger…), on peut facilement faire connaissance avec ses voisins de table. Ceux qui cherchent l'âme sœur peuvent consulter un petit classeur qui contient les fiches des habitués – volontaires, bien sûr ! Et pour ceux qui souhaitent tout simplement se faire de nouveaux amis ou qui ont un service à demander, une corde à petites annonces est à la disposition des clients. Une façon ludique de rencontrer de nouvelles têtes, sans le côté gênant des bars pour célibataires.

Régal sur balançoire
SUR UN ARBRE PERCHÉ

1, rue du Quatre-Septembre, 2ᵉ • Mᵒ Bourse

Tél. 01 42 96 97 01 • www.surunarbreperche.com

Ouvert du lundi au vendredi de 12h à 15h et de 19h30 à 1h, le samedi de 19h30 à 1h

Formule déjeuner : 19,50 € • Dîner : environ 60 € • Massage de 15 min : 18 €

Pour que vous puissiez vous régaler tout en goûtant au plaisir d'un petit massage, le restaurant Sur un arbre perché propose à ses clients de profiter des bienfaits d'un massage Amma assis. Ici, pas besoin de réserver pour en bénéficier, et l'on peut même le demander en douce au serveur, ce qui est idéal pour surprendre son invité ! Pour que le bien-être soit parfait, le mieux est de réserver une table avec balançoires. Attention, elles sont peu nombreuses et très demandées. Le restaurant étant très fréquenté le week-end, on privilégiera les débuts de semaine pour une ambiance vraiment zen.

Opéra et bons petits plats
BEL CANTO

72, quai de l'Hôtel-de-Ville, 4ᵉ • Mᵒ Hôtel-de-Ville
Tél. 01 42 78 30 18 • www.lebelcanto.com
Ouvert tous les soirs dès 20h
Menu entrée + plat + fromage ou dessert: 76 €

Ce qui aurait pu n'être qu'un concept ludique destiné aux touristes aisés est en réalité un lieu à découvrir de toute urgence. Dans un décor très chic, on déguste une cuisine française traditionnelle – foie gras, risotto au homard et tatin de figues, par exemple – en musique. Mais pas n'importe quelle musique, puisque les serveurs sont aussi chanteurs lyriques ! Le Bel Canto offre à ces chanteurs, généralement encore étudiants ou en tout début de carrière, la possibilité d'exercer leur talent et de se faire la voix. Pas question de n'être rémunéré qu'au pourboire : ici, on est payé au cachet, ce qui permet aux artistes de prétendre au statut d'intermittent du spectacle. Un lieu raffiné, où gastronomie et art lyrique font bon ménage.

Mettez de la philo dans votre vie
CAFÉ DES PHARES

7, place de la Bastille, 4ᵉ • Mᵒ Bastille
Tél. 01 42 72 04 70 • www.cafe-philo-des-phares.info
Tous les dimanches de 11h à 13h

Le Café des Phares est le premier des cafés philo qui ont fleuri par la suite dans la capitale. En inaugurant la formule en 1992, le philosophe Marc Sautet souhaitait que les gens réfléchissent ensemble à leur vie, à leur avenir. Depuis, chaque dimanche à 11h, des hommes et des femmes se rassemblent pour discuter librement du thème du jour, proposé par l'un des participants : féminisme, travail, démocratie… Autour d'un café ou d'un verre, chacun y va de son point de vue, éclairant ceux des autres. On quitte le café ravi de cette réflexion collective, et la tête bouillonnant d'idées neuves.

Ici, c'est vous le chef !
AUTOUR D'UNE TABLE

113, avenue de La Bourdonnais, 7ᵉ • Mᵒ École-Militaire

Tél. 01 40 62 98 10 • www.autourdunetable.com

Cours de 2h : 90 €, puis 30 € par invité

Si l'on aime cuisiner mais que l'on veut en même temps profiter de la présence de ses invités, il faut tester le concept "Chef d'un soir" proposé par Autour d'une table. La soirée commence aux fourneaux, sous l'égide d'un chef renommé. Cuisine fusion avec un chef vietnamien, ou plus classique avec un ancien du Plaza Athénée, c'est selon. Une fois toque et tablier enfilés, à nous de confectionner un menu complet ! Deux heures plus tard, on passe dans la salle de restaurant, pour retrouver ses invités (trois maximum). Le menu du jour (avec coupe de champagne, vin et café) ? Le nôtre, bien sûr ! Voilà une façon ludique et insolite de recevoir ses amis, qui permet au passage d'apprendre de nouvelles recettes. Une bien jolie soirée en perspective !

Comme au temps des chevaliers
LA TAVERNE MÉDIÉVALE

Les Caves Saint-Sabin • 50, rue Saint-Sabin, 11ᵉ • Mᵒ Bréguet-Sabin

Tél. 01 40 21 01 42 • www.latavernemedievale.fr

Tous les jeudis de 19h à 2h

Entrée + déguisement + conso : 15 € • Si vous venez déguisé : 8 €

Voici le lieu idéal pour les férus d'histoire et ceux qui aiment se glisser dans la peau d'un autre. Après avoir troqué vos vêtements contre un déguisement, vous voilà transporté des siècles en arrière. Chevaliers, seigneurs et damoiselles se croisent dans une ambiance bon enfant : ici, les barrières sociales sautent et chacun peut s'amuser sans crainte d'être jugé. Si certains sont venus pour oublier le quotidien le temps d'une soirée, d'autres prennent ce jeu très au sérieux. En tout cas, tout le monde s'en donne à cœur joie : quand les uns dansent sur de la musique médiévale, les autres ripaillent ou boivent d'authentiques cervoises ! Et lorsque vient le moment de quitter ces belles caves voûtées, on en a oublié que les temps ont bien changé…

Jouez votre partie !
OYA CAFÉ

25, rue de la Reine-Blanche, 13ᵉ • Mᵒ Les Gobelins

Tél. 01 47 07 59 59 • www.oya.fr

Ouvert du mardi au samedi de 14h à minuit, le dimanche de 14h à 21h

Boisson + jeu : 6 € • Jeu supplémentaire : 3 €

Dans la catégorie des cafés parisiens où l'on peut jouer, celui-ci est le champion. Et pour cause : on y trouve plus de 500 jeux, pour rire ou pour réfléchir ! De lettres, de cartes ou de stratégie, certains sont inédits, d'autres ne se pratiquent qu'à l'étranger. Si l'on ne saisit pas bien les règles, une bonne âme sera prête à nous les expliquer. Côté joueurs, il y a de tout, enfants et personnes âgées, personnes seules et accompagnées… L'ambiance est chaleureuse, et l'on fait de vraies découvertes. Et puis, comme les jeux sont accrochés aux murs façon tableaux, il est facile de repérer celui que l'on essaiera la fois suivante !

UN PETIT CAFÉ ENTRE DEUX MONDES

Le Café Signes est l'aboutissement de l'action menée depuis des années par le Centre d'aide par le travail et la communication Jean-Moulin, qui œuvre pour le rapprochement des sourds et des entendants. Dans ce lieu chaleureux où des expos de peinture ou de photo sont régulièrement organisées, on boit un verre ou mange un morceau après avoir passé commande en français ou en langue des signes française (LSF). Lorsqu'il a vu le jour en 2003, on aurait pu penser que ce café serait un point de ralliement de la seule communauté sourde, mais la magie a fonctionné et les deux mondes se rejoignent enfin ! Les clients semblent ravis d'avoir trouvé un endroit où se rencontrer. Certains entendants qui apprennent la LSF mettent leur savoir à l'épreuve, les barrières tombent et l'on oublie peu à peu le handicap, pour revenir à un seul langage : celui du corps.

→ **Café Signes**
33, avenue Jean-Moulin, 14ᵉ • Mᵒ Alésia
Tél. 01 45 39 37 40 • www.cafesignes.com
Ouvert du lundi au vendredi de 8h à 19h

Ça slame pour moi !

CULTURE RAPIDE

103, rue Julien-Lacroix, 20ᵉ • Mº Pyrénées ou Belleville
Tél. 01 46 36 08 04 • www.culturerapide.com

L'association Slam Production se charge d'une bonne partie de la programmation du café Culture rapide, lieu consacré aux arts oratoires. Le slam, mouvement importé des États-Unis il y a une dizaine d'années, se définit comme un véritable tournoi de poésie. L'idée est de rassembler des poètes de toute nature autour de leur art. Chez Culture rapide, on peut assister à une soirée slam réservée aux femmes comme à des scènes ouvertes lors desquelles tout le monde peut prendre la parole, chacun devenant ainsi à son tour un poète actif. Le slameur peut choisir de déclamer ou de scander son texte, de le lire ou d'improviser. Les plus réservés se laissent vite emporter par le rythme de la soirée, et les chances sont grandes, même pour qui serait venu en simple curieux, d'être bientôt tenté par la scène...

Cassez la croûte en chanson

LE VIEUX BELLEVILLE

12, rue des Envierges, 20ᵉ • Mº Pyrénées
Tél. 01 44 62 92 66 • www.le-vieux-belleville.com
Soirées musette du jeudi au samedi de 20h à 2h

S'il est parfois fréquenté par des touristes qui rêvent de se plonger dans le Paris de l'après-guerre, le Vieux Belleville est surtout un repaire d'habitués, venus casser la croûte en chanson sur une nappe à carreaux. Le jeudi, c'est Riton la Manivelle qui est aux commandes derrière son orgue de Barbarie ; le vendredi et le samedi, c'est au tour de Minelle d'enchanter la clientèle avec son accordéon. Tout le monde reprend en chœur les paroles des chansons de Fréhel, Piaf ou Vian, avec un bel enthousiasme. Il se pourrait même que l'on ait tout à coup très envie de danser !

Partagez un gueuleton secret

HIDDENKITCHEN

www.hkmenus.com

Menu : 80 €, vin compris

L'idée est simple : six soirs par mois en moyenne, un couple d'Américains propose à une douzaine de convives de partager un dîner gastronomique. Le menu comporte une dizaine de plats, tous plus raffinés les uns que les autres. Les participants sont de tous âges et de toutes nationalités, de sorte que la langue parlée autour de la table est souvent l'anglais. Ces dîners secrets sont plus que prisés – les réservations sont ouvertes neuf mois à l'avance –, mais on peut guetter les annulations de dernière minute sur le Twitter de HiddenKitchen. Quant à l'adresse du lieu, pas question de la diffuser, elle vous sera communiquée une fois votre réservation validée. Une soirée originale qui se mérite !

11

Vos nuits
sont plus belles
que nos jours

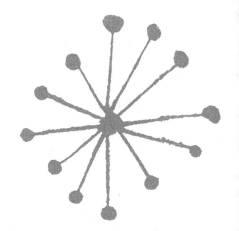

Les coupes de la pleine lune
SALON DE COIFFURE DE DJELANI MAACHI

40, rue Coquillière, 1er • M° Les Halles ou Louvre-Rivoli
Tél. 01 42 33 57 47
Coupe : 50 € • Sur rendez-vous uniquement

Djelani Maachi a toujours cru à l'influence de la Lune sur l'organisme. Les nuits où elle est pleine, notre circulation sanguine s'améliorerait considérablement, ce qui aurait un effet bénéfique sur la qualité et la repousse de notre chevelure. Fort de cette conviction, ce coiffeur autodidacte décide, en 1985, d'ouvrir son salon jusqu'au petit matin les nuits de pleine lune ! Et, pour que les effets soient encore plus spectaculaires – jusqu'à 2,5 cm de repousse en un mois, au lieu du centimètre habituel –, il n'hésite pas à s'installer dehors pour couper les cheveux. Les clients affluent, les médias s'intéressent à cette initiative peu commune, et le succès est vite au rendez-vous. Vingt-cinq ans après, lorsque l'on entre dans le petit salon de la rue Coquillière, on est immédiatement séduit par son atmosphère familiale. Tout le monde semble avoir du temps devant soi, l'ambiance est détendue. La clientèle, fidèle, vient se faire couper les cheveux après un dîner au restaurant ou une séance de cinéma. Pour autant, Djelani Maachi, s'il a été le chouchou d'émissions de télévision ou l'invité de nombreux pays, n'a rien du phénomène de mode. Il est avant tout un homme de conviction, chaleureux, qui sait donner envie de revenir dans son salon. Pourquoi pas lors de la prochaine pleine lune ?

Dormez sur la Seine
BATEAU PYTHEAS VIVAS

Port des Champs-Élysées, 8e • M° Concorde
http://chambredhote.paris.pagesperso-orange.fr
À partir de 170 € la nuit pour 2 personnes, petit-déjeuner compris

S'offrir une nuit sur le Pytheas Vivas est un luxe auquel on se doit de goûter, même si l'on vit à Paris. À deux pas de la place de la Concorde, on abandonne l'agitation de la capitale dès que l'on monte à bord, n'ayant plus qu'à se laisser tranquillement bercer par les clapotis du fleuve. La chambre, située dans une cabine à la proue du bateau, est très confortable. Les plus studieux seront ravis d'y trouver un bureau bien pratique, et tous apprécieront la salle de bains et sa vue sur l'Assemblée nationale. Les propriétaires, Alain et Rita, réservent un accueil des plus chaleureux et sont toujours ravis de partager avec leurs hôtes un verre de vin et un plateau de fromages. Quant au petit-déjeuner, il est servi sur le pont les matins ensoleillés ! Dormir sur une péniche en plein Paris est décidément une expérience étonnante – que l'on risque d'avoir envie de renouveler très vite.

Une nuit au musée
HÔTEL SECRET DE PARIS

2, rue de Parme, 9ᵉ • Mº Liège
Tél. 01 53 16 33 33 • www.hotelsecretdeparis.com
Chambre double : de 186 à 310 €

Dans ce quatre étoiles pas comme les autres, on peut choisir de dormir sous l'horloge du musée d'Orsay, au sommet de la tour Eiffel, sur le toit de l'Opéra de Paris, ou de flirter au Moulin-Rouge. Hormis la déco, très flashy, tout est fait pour rendre votre séjour inoubliable : baignoire avec hydromassage, trois éclairages différents, téléviseur à écran plat, lecteur DVD… Et, comme on est dans un établissement grand luxe, on a également accès à un espace bien-être plutôt sympathique ! L'hôtel, très soucieux de l'écologie, est tourné vers le développement durable, ce qui ne gâche rien. Un lieu à s'offrir une fois dans sa vie, pour passer une nuit de folie !

Nuits design
CHEZ BERTRAND

Marché aux puces de Saint-Ouen, 18ᵉ • Mᵒ Porte-de-Clignancourt
Tél. 06 63 19 19 87 • www.chezbertrand.com
2 nuits minimum : à partir de 250 € • Petit-déjeuner : 7 €

C'est au cœur du marché aux puces de Saint-Ouen que Bertrand a créé ses trois appartements d'hôte pas comme les autres. Le plus petit d'entre eux (16 m²) est le Studio, qui, avec ses décors argentés, donne l'impression d'effectuer un voyage spatio-temporel. L'Appart (33 m²), avec son distributeur de bonbons Haribo géant, est le paradis des petits et des grands enfants. Quant au Loft (40 m²), il permet notamment de dormir dans une 2CV transformée en lit ! Les appartements ont tous un coin cuisine équipé, utile si l'on veut vraiment se couper du monde extérieur. Et Bertrand n'hésite jamais à faire un brin de causette ou à partager ses bonnes adresses. Parfait pour partir en week-end… sans quitter la capitale.

(Cul)ture X
MUSÉE DE L'ÉROTISME

72, boulevard de Clichy, 18ᵉ • Mᵒ Blanche
Tél. 01 42 58 28 73 • www.musee-erotisme.com
Ouvert tous les jours de 10h à 2h • Entrée : 9 € • Tarif réduit : 6 €

Le seul musée parisien que l'on puisse visiter de nuit ! Sur sept niveaux, on y trouve toutes sortes d'objets, d'images ou de documents dont le dénominateur commun est l'érotisme. Dans ce qui pourrait s'apparenter à un beau fouillis, on découvre des sculptures, des photos ou des extraits plutôt osés de films libertins du début du siècle dernier, mais on explore également, par exemple, la représentation de la sexualité en Inde ou en Chine. C'est sur le thème des maisons closes que l'on en apprend le plus, grâce à des documents d'époque, relevés sanitaires allemands effectués sous l'Occupation ou registres de comptes de pensionnaires. Les derniers étages accueillent des expositions temporaires. Art contemporain ou photographie, l'érotisme y est toujours de rigueur. Et il y en a pour tous les goûts !

Index

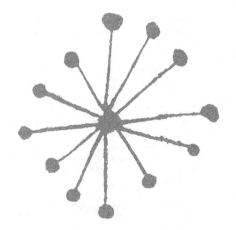

4 Roues sous 1 Parapluie 45

Arboretum du bois de Vincennes 57

Architecture de collection 52

Art Process 21

Assemblée nationale 11

Association française des amis des chemins de fer (Afac) 13

Association La Marche de la Bièvre 61

Association sportive des hommes-grenouilles de Paris 90

Autour d'une table 97

Bachiques Bouzouks 25

Balabus 51

Balajo 86

Ballon de Paris 40

Banque de France 10

Bateau Pytheas Vivas 103

Batobus 46

Bel Canto 96

Boulodrome du Jardin du Luxembourg 92

Café des Phares 96

Café Signes 98

Cantine de la Maison de la culture arménienne 77

Cartoucherie (La) 22

Casting Events 32

Catacombes de Paris 38

Cathédrale Saint-Alexandre-Nevski 66

CentQuatre (Qi Gong) 81

Centre bouddhique Kagyu-Dzong 67

Centre Teochew de méditation bouddhique 68

Chapelle Notre-Dame de la Médaille miraculeuse 65

Chez Bertrand 105

Cinéma La Pagode 76

Cinoche Vidéo de Maria Koleva (Le) 17

Cité internationale universitaire de Paris.. 79
Club des bons amis des Buttes... 59
Club des Poètes... 19
Comédie-Française... 29
Conservatoire national supérieur d'art dramatique 31
Corif (Centre ornithologique Ile-de-France).. 60
Culture rapide.. 99
Devenir figurant.. 30
Deyrolle.. 55
Drôle d'endroit pour une rencontre.. 95
Église Saint-Georges de la Villette... 71
Éphrem.. 68
Espace Cyrnea - Le Village Corse... 79
Étoiles du Rex (Les)... 29
Foyer Bara.. 82
Grande Mosquée de Paris.. 65
HéliParis... 41
HiddenKitchen.. 100
Hôtel des ventes Drouot-Richelieu... 19
Hôtel (L').. 88
Hôtel Secret de Paris... 104
International Visual Theatre 21
Jardin alpin du Jardin des Plantes.. 55
Jardin d'agronomie tropicale.. 56
Jardin de Séoul.. 59
Jardin des serres d'Auteuil... 57
Jim Haynes... 80
Locabus.. 51
Loge de Sarah Bernhardt.. 31
Maison de la Radio... 33
Maison du Jardinage.. 58
Monastère de la Visitation 68
Montparnasse 56.. 40
Musée de l'Érotisme... 105
Musée des Arts forains... 24
Musée des Égouts... 37
Nature & Découvertes... 61
Observatoire de la Sorbonne... 75
Observatoire du bois de Boulogne.. 60
Observatoire du bois de Vincennes 60
Oya Café... 98
Palais de justice de Paris 9
Panthéon bouddhique... 69
Parc des Buttes-Chaumont (Qi Gong).. 81

Paris Charms & Secrets.. 49
Paris Danses en Seine... 85
Parisien d'un jour.. 48
Paris Rando Vélo... 49
ParisRunningTours... 47
Paris Ukulele Hui... 26
Péniche Opéra (La)... 24
Piscine Joséphine-Baker... 89
Piscine Pailleron... 89
Piscine Pontoise.. 89
Piscine Roger-Le Gall.. 90
Piscine Suzanne-Berlioux.. 89
Planétarium du Palais de la découverte.............................. 76
Pôle emploi Spectacle.. 30
Quartier Château-Rouge... 80
Quartier de La Chapelle... 78
Rétro Dancing... 86
River Limousine.. 45
Salon de coiffure de Djelani Maachi............................. 103
Sénat... 10
Société d'études et d'aménagement
   des anciennes carrières des Capucins.............................. 39
Studio Galande... 18
Sur un arbre perché.. 95
Tao Village... 87
Taverne médiévale (La).. 97
Taxi King Clovis... 50
Temple hindouiste Sri Manika Vinayakar Alayam...................... 70
Théâtre de verdure du Jardin Shakespeare............................ 23
Trinquet Chiquito de Cambo... 91
Unesco.. 12
Urban-Cab.. 50
Vieux Belleville (Le).. 99
Voguéo... 47

Dans la même collection

100 aventures insolites à Paris
100 sorties cool autour de Paris
100 sorties cool avec les enfants
À chacun son café
À chacun son resto
Acheter de l'art à Paris
Attendre un enfant à Paris
Avoir un chat à Paris
Belle et bio à Paris
Bien naître à Paris
Chanter à Paris
Chic et jolie à petits prix
Comment devenir une vraie Parisienne
Cours et ateliers d'art à Paris
Cuisiner comme un chef à Paris
Découvrir les sciences à Paris
Être bénévole à Paris
Faire du cheval à Paris
Guide de survie de l'étudiant parisien
Jolis hôtels de Paris à petits prix
L'Afrique à Paris
L'art contemporain à Paris
L'Asie à Paris
La photographie à Paris
Le guide du soutien scolaire
Le jazz à Paris
Le thé à Paris
Les cantines des Parisiennes
Les meilleurs bars de Paris
Les meilleurs brunchs de Paris
Les meilleurs dépôts-ventes de Paris
Les meilleurs massages de Paris
Les meilleurs restos à petits prix
Les meilleurs voyants de Paris
Les mercredis des petits Parisiens
Nuits blanches à Paris

Organiser une fête à Paris
Où s'embrasser à Paris
Où trouver le calme à Paris
Paris: The Thrifty Eater's Guide
Paris anti-stress
Paris bio
Paris brico-déco
Paris Chocolat
Paris cinéphile
Paris de fil en aiguille
Paris Design
Paris en bouteilles
Paris en fauteuil
Paris Gourmandises
Paris Latino et ibérique
Paris des libres savoirs
Paris récup'
Paris rétro
Paris underground
Paris Vintage
Paris World Food
Paris Yoga
Paris (vraiment) gratis
Petits bonheurs parisiens
Petits et grands musées de Paris
S'épanouir à Paris
SOS Parisiens débordés
SOS Jeune mère parisienne
The Best Places to Kiss in Paris
Trouver un appart' à Paris
Trouver un Jules à Paris
Un tour à la campagne
Vivre mieux pour moins cher
Week-ends antistress autour de Paris
Week-ends de charme à petits prix

ISBN : 978-2-84096-681-4

Dépôt légal : novembre 2010
Achevé d'imprimer en janvier 2011 dans les ateliers de Sagim, à Courtry
N° d'impression : 12226

Avec la collaboration de Sébastien Cordin

4 roues sous
1 parapluie

...et Paris devient un petit coin de paradis !

Escapades parisiennes en 2CV avec chauffeur

Laissez-vous tenter par le charme d'une balade authentique et intime, au cœur de Paris, dans la plus mythique des voitures décapotables !

(Re)découvrez Paris d'une façon unique, en vous laissant conduire entre verdure et clochers, ciel et pavés...

- Un service personnalisé et privatif
- Un choix de 29 Citroën 2CV aux couleurs pétillantes
- Des chauffeurs sympathiques, élégants et cultivés
- Plus de 30 000 passagers accueillis à bord
- Plus de 6 ans d'expérience

Jour et nuit

Paris Eternel
Paris Jardins
Paris Méconnu
Paris Shopping
Paris à la carte
Escapades Franciliennes

Langues

Français
English
Deutsch
Español

Escapades
De 30 min à 4h

Départ
De votre hôtel
ou Opéra Garnier

Prix
A partir de
19€/pers

www.4roues-sous-1parapluie.com ou 0 800 800 631